Le Château Frontenac
QUEBEC.

DE FIEL
ET DE MIEL

DU MEME AUTEUR

DENISE NOËL

DE FIEL
ET DE MIEL

LE CERCLE ROMANESQUE
12 bis, rue Bezout, PARIS-XIVe

DE FIEL ET DE MIEL

I

— Un dernier verre, mes amis. Le coup de l'étrier. Ensuite, vous reprendrez la direction de Paris. A cette heure-ci, l'autoroute vous appartient.

Une cigarette dans une main, une bouteille de whisky dans l'autre, Isabelle Delahaye savoura secrètement le silence qui suivit ses paroles. Elle avait vingt ans, des yeux bleus dans un visage rond au charme volontairement gavroche, des cheveux bruns coupés plus court que ceux des cinq garçons qui lui faisaient face, vautrés au creux des fauteuils, à l'ombre de parasols orange.

Une voix scandalisée monta de la pelouse toute proche, où quatre autres jeunes filles, jambes et hanches cousues dans des blue-jeans, offraient leur dos nu à la caresse du soleil.

— Devons-nous comprendre que tu nous flanques dehors ?

— Tu comprends vite. Vous entendez, très chers, ironisa Isabelle, notre petite Magui a saisi au quart de tour. Cette fois, pas besoin de lui faire un dessin.

Mais sa boutade tomba à plat. Les rieurs n'étaient pas de son côté. La perspective d'abandonner prématurément la fraîche oasis de ce parc, de retrouver la route fastidieuse avec, au bout, une ville que tous les amis avaient désertée, n'enchantait personne.

— Tu plaisantes, Belle, remarqua nonchalamment Eric, un barbu aux yeux tristes. Les autres samedis, c'est toi qui mènes la danse et quelquefois jusqu'à l'aube. Ne nous fais pas accroire qu'aujourd'hui tu n'aspires qu'à la solitude.

Le chœur se déchaîna :

— Isabelle, tu t'embourgeoises !

— Qu'est-ce que tu redoutes ? Une descente de tes parents ?

— Je croyais qu'ils te laissaient la libre disposition de leur fermette.

Une voix féminine, pleine de sous-entendus, domina les autres :

— Vous n'y êtes pas, pauvres pommes ! Belle-la-Pure, Belle-la-Vertueuse a un rendez-vous. Et nous qui espérions lui faire plaisir en débarquant avec nos guitares et nos chansons! Pour une fois, nous avons joué les trouble-fête.

Isabelle les écrasait de son silencieux dédain. Elle emplissait les verres qu'elle tendait ensuite à chacun de ses hôtes d'un geste royal. Après le dernier commentaire, elle laissa passer quelques secondes, puis daigna préciser:

— Après votre départ, je dîne et je me couche.

La lueur égrillarde qui brasilla dans l'œil des garçons l'emplit d'une froide colère.

— Ne vous torturez pas l'imagination, jeta-t-elle presque sauvagement. Quand je me mets au lit, c'est pour dormir. Demain, à l'aube, je prends la route pour Orly d'où je m'envolerai pour le Canada.

Les yeux s'écarquillèrent. Une voix objecta « qu'une cachottière pareille, non, je vous jure, ça vous sciait à la base et ne méritait pas l'amitié qu'on lui vouait ».

— Que vas-tu fabriquer au Canada? interrogea Jean-Charles en retirant des lunettes qu'il ne portait que pour se donner le genre intellectuel. Tu nous annoncerais que tu pars pour le cap Horn ou la Nouvelle-Zélande, à la rigueur pour Tahiti, bien que ce soit surfait, bon, d'accord, on comprendrait que tu veuilles voir des pays qui sortent de l'ordinaire. Mais pourquoi le Canada? C'est pas marrant, le Canada. Des champs de blé d'un horizon à l'autre...

— Tu n'y es pas, interrompit Magui. C'est
une vaste forêt avec des cabanes; du moins,
la chanson l'affirme.

Le regard bleu d'Isabelle les jaugeait. Brusquement, elle les vit tels qu'ils étaient: des
minets et des fofolles. « Trop stupides pour
recevoir des confidences, se dit-elle. Intéres-
sants seulement avec une guitare à la main,
mais leurs petites têtes bourrées de chansons
ne comprendraient rien à mes problèmes. »

Elle condescendit toutefois à expliquer:

— Je ne pars pas en voyage d'agrément. Je
vais régler là-bas une affaire de famille.

— Et tu comptes rester longtemps absente ?
demanda Eric.

La réponse les intéressait tous. Neuf regards
convergèrent vers la maison basse, habillée
d'une exubérante vigne vierge et qu'un parc
ombreux isolait du reste du monde. Une thé-
baïde qu'ils ne retrouveraient nulle part ailleurs. Les parents propriétaires d'une rési-
dence secondaire ne l'abandonnent pas volontiers à leur progéniture. Or, ceux d'Isabelle
semblaient doués d'une largeur de vues et d'une
générosité peu communes. La jeune fille avait
affirmé qu'ils se réservaient la grande maison
Directoire, « La Jonquière », dont un des pi-
gnons s'apercevait au loin, derrière les arbres,
à l'orée du parc. Ils ne mettaient jamais les
pieds du côté de la fermette, une dépendance
à laquelle on accédait par un chemin de terre.

Cette maison était le domaine personnel d'Isabelle. Elle l'avait meublée à son goût et avait le droit d'y recevoir ses amis. Ces derniers profitaient à outrance de son hospitalité. Comme les « parties » les plus bruyantes n'avaient jamais attiré de moralisateurs au fond du parc, les parents d'Isabelle restaient pour ces jeunes fêtards une abstraction à laquelle ils ne pensaient jamais.

— Alors, elle sera longue à liquider, ton affaire de famille ? insista l'un des garçons.

— Je ne peux pas le savoir d'avance. Dès que je serai de retour, je vous préviendrai.

— Ce voyage est donc si urgent ? demanda une jeune fille aux longs cheveux blonds coiffés comme ceux de sa vedette préférée. Au début de mai, là-bas, je suis sûre que la neige est à peine fondue. Tu aurais pu attendre les vacances, non ?

Iabelle dédaigna de répondre. Les vacances ? Mais quelles vacances ? Leur existence n'était-elle pas un long farniente ? Au moins qu'ils aient la franchise de reconnaître leur oisiveté ! Comme elle, ils avaient tourné le dos aux études, préférant suivre en dilettantes des cours de chant ou d'art dramatique. C'était, du reste, dans un de ces conservatoires privés, où elle s'était fait inscrire pour tromper son ennui, qu'elle les avait connus. Une partie d'entre eux semblaient n'être venus sur terre que pour dépenser un argent de poche que des parents inconscients ne leur mesuraient pas. Les autres vivaient sans vergogne aux crochets des premiers.

— Tu vas terriblement me manquer, Isa, gémit Eric en attachant sur elle un doux regard d'épagneul.

Et tandis que la jeune fille lui reprenait son verre vide, il attrapa au vol le fin poignet et le baisa.

Elle se dégagea avec humeur.

— Ne sois pas ridicule. Un minet sentimental, c'est bête à pleurer.

— Isa préfère les durs. Tout le monde le sait, gloussa une fille, un rire équivoque aux lèvres.

— Je préfère la liberté, déclara Isabelle d'un ton net. Un homme ne vaudra jamais la peine que je lui sacrifie la mienne.

Ils rirent et la plaisantèrent.

Un peu plus tard, elle les accompagna jusqu'à la porte de bois, peinte en vert, qui s'ouvrait sur une petite route où leurs voitures de sport étaient rangées. Sur le seuil, elle attendit que décrût le bruit des moteurs, puis, appréciant le silence retrouvé, elle revint lentement vers la maison.

Isabelle possédait trop d'assurance pour connaître la peur. Pourtant, elle ne put réprimer un sursaut en apercevant une silhouette masculine appuyée contre l'un des ormes ombrageant la fermette. Elle savait la propriété déserte; sa famille n'arriverait que le soir, pour le week-end. Il ne restait dans la grande maison Directoire qu'un couple de serviteurs : Jeanne et Auguste. Le soleil dans l'œil, elle ne distinguait pas le visage de l'intrus, mais devinait qu'il ne s'agissait pas du jardinier. En dépit de son inquiétude, elle avança sans hésiter.

Quelques pas plus loin, elle était fixée. Le visiteur s'appelait Philippe Noisier. Fils d'un cultivateur des environs, il étudiait l'électronique à Paris et ne revenait au bourg que pendant l'été. De quatre ans l'aîné d'Isabelle, Philippe témoignait à sa camarade une amitié un peu bourrue qui masquait mal un sentiment plus tendre. Tour à tour provocante ou lointaine, voire dédaigneuse, Isabelle s'amusait à voir flamber la passion, la colère ou la déception sur les traits mobiles du jeune homme. Toutefois, peut-être parce qu'il venait d'un univers différent du sien, il était le seul garçon que la jeune fille retrouvait avec plaisir.

Elle s'étonna silencieusement de sa présence.

« Philippe ici ? Mais ce ne sont pourtant pas les vacances. Pour un bûcheur comme lui, ce mot-là conserve toute sa valeur. Qu'est-ce qu'il lui arrive ? »

Elle se retint d'accélérer son pas. Si elle était heureuse de le revoir, il n'avait pas besoin d'en être averti. Bon camarade ou non, c'était un homme. Et pour Isabelle, un homme, c'était l'ennemi. Elle ferma son visage.

— Tiens, Philippe ! C'est une surprise. Par
où es-tu passé ?

— Par la porte, chère enfant, mais pour me
montrer, j'ai attendu, planqué derrière la maison, que ton paquet de minus ait vidé les
lieux.

Il s'était approché d'elle et la dominait d'une
tête. Elle découvrit qu'il avait de très beaux
yeux, d'un bleu sombre, avec, aux coins, des
petites rides moqueuses qui partaient en éven-
tail vers les tempes. Sa grande bouche riait.
Mais le bas de son visage, carré, un peu bes-
tial, déplaisait à Isabelle. Elle se recula, l'œil
étincelant de colère.

— Mon paquet de minus... Ce sont des amis,
espèce de rustre, et je t'interdis...

Philippe leva la main en signe d'apaisement.

— Oublions-les, veux-tu ? Je ne viens pas te
parler d'eux. J'ai appris que tu partais demain
et j'ai voulu te dire au revoir.

— Les nouvelles se propagent vite, remarqua Isabelle, pincée. Je suppose que ce sont
nos domestiques qui les ont claironnées jusque
chez tes parents ?

— Peu importe la façon dont elles se répan-
dent. Est-ce vrai que tu prends l'avion demain
matin pour Montréal ?

Elle acquiesça d'un signe de tête et insista :

— Comment l'as-tu appris ?

— J'ai téléphoné chez toi, à Paris. J'avais
deux billets pour un concert et ça m'aurait

fait plaisir de t'emmener. On m'a répondu que tu étais à La Jonquière, d'où tu t'apprêtais à partir pour le Canada. Pourquoi vas-tu là-bas ?

Elle se tenait à deux pas de lui, raidie d'orgueil, ses lèvres aux commissures méprisantes fermées sur son secret. Puis, soudain, sans qu'elle sût au juste pourquoi, peut-être parce que les traits de Philippe rayonnaient d'une amitié sans détour, toute sa morgue chavira et elle éprouva le besoin de laisser déborder son cœur.

— Pourquoi je vais là-bas ? répéta-t-elle d'une voix rauque. Pour empêcher mon père de demander le divorce.

— Quoi ?

Philippe était l'image même de l'incrédulité. Une ride barrait son front qu'il avait bombé, têtu. « Un front de bouvillon », disait Mme Delahaye qui, dans la crainte que la jeune fille ne se laissât séduire par le fils d'un des anciens métayers de La Jonquière, ne perdait jamais une occasion de rappeler les origines paysannes de Philippe.

Indécis, il fourrageait d'une main dans son épaisse chevelure brune, coupée court sur la nuque. Il lissa une mèche d'avant en arrière, puis entraîna Isabelle vers les fauteuils laissés vacants par les précédents visiteurs.

— Asseyons-nous et explique-toi. J'ai l'impression que tu divagues ou que tu te moques de moi.

— Je t'ai dit la vérité. Papa veut divorcer.
Tu comprends ce que ça signifie pour nous ?
Tu vois un peu sa lettre pour engager la pro-
cédure, arrivant chez l'avoué ? Tu imagines la
tête du président du tribunal et de son ami,
le doyen, tout ce scandale autour de nous et
les chuchotements derrière notre dos ?

Une flamme sauvage brûlait dans son regard.
Philippe se souvenait d'avoir vu, au temps de
son adolescence, la même lueur haineuse sur
le visage de Mme Delahaye, un jour qu'il avait
cru de bon ton de demander à la mère d'Isabelle des nouvelles de son mari.

Comme il persistait à la regarder sans comprendre, elle ajouta, frémissant de rage contenue :

— Il s'est amouraché là-bas d'une femme
plus jeune que lui et veut l'épouser.

— Comment le sais-tu ?

— Oh ! c'est par hasard que nous l'avons
appris. Tu penses bien que ce n'est pas lui
qui nous fait ses confidences. Il n'écrit jamais.
Depuis douze ans qu'il est parti, pas une seule
fois il n'a donné de ses nouvelles, pas une seule
fois il n'a répondu à la lettre que je lui
adresse chaque année au jour de l'an. Comme
preuve de son existence, il se contente de faire
virer, chaque trimestre, par sa banque, une
somme importante au nom de Mme Delahaye,
une autre plus modeste à mon nom. Ses
affaires au Canada sont florissantes et les

rentes qu'il nous verse ne représentent pas
pour lui un sacrifice.

— Mais je suppose qu'elles vous font vivre ?

— Et alors ? riposta-t-elle, agressive. N'est-
ce pas le rôle d'un chef de famille de faire
vivre les siens ?

— Si, dit Philippe songeur, et je commence
à comprendre ce que signifierait pour vous le
remariage de ton père. Plus de rentes au
nom de Mme Delahaye, n'est-ce pas ? C'est
cela qui importe, bien plus encore que la
réprobation de l'avoué ou du doyen. Je suppose que, dûment chapitrée par le clan familial, tu vas brandir sous le nez de l'infidèle
l'épouvantail du déshonneur, du foyer détruit,
de la religion bafouée, non ? Comme hypo-
crisie, on ne fait pas mieux. Toi, Isa, que je
croyais pure, tu acceptes de te prêter à un
jeu aussi fourbe ? Tu baisses de plusieurs
degrés dans mon estime, permets-moi de te le
dire ?

Il avait parlé avec mépris et sans laisser à
sa partenaire le loisir de placer un mot. Sa
diatribe terminée, il se leva et partit à grandes
enjambées vers le fond du parc.

Le visage en larmes, elle le rattrapa au
moment où il ouvrait la porte donnant sur
le chemin de terre.

Il n'avait jamais vu pleurer Isabelle. Sa réaction fut de la prendre aussitôt dans ses bras.
Elle eut un bref instant d'abandon puis, saisie
d'une fureur aveugle, elle se mit à marteler

de ses poings durs la poitrine du jeune homme.

— Imbécile! Triple idiot! Avant de me juger, tu pourrais m'écouter, non ? Lâche-moi, Philippe. Tu entends ?... Mais lâche-moi donc, espèce de sauvage!

Il s'exécuta à contrecœur. Isabelle lui semblait plus désirable encore lorsqu'elle était hors d'elle. En la tenant contre lui, il avait imaginé son corps et maintenant cette poitrine ronde et ferme qui palpitait sous le mince polo de coton blanc lui donnait des frémissements au bout des doigts. Il enfonça les mains dans ses poches.

— Je t'écoute, dit-il sèchement. Mais tu auras du mal à plaider ta cause.

Elle releva le menton et essuya vivement ses yeux.

— Je n'ai pas de cause à plaider, lança-t-elle avec une pointe de défi. Ce que je veux, c'est te faire connaître une vérité que tu ignores. Je déteste mon père pour tout le mal qu'il nous a fait. Tu peux comprendre ça, non ? S'il ne nous avait pas abandonnées, rien de ce qui s'est passé ici ne serait arrivé. J'aurais été meilleure que je ne le suis, ignorante de cette haine que l'on m'a inculquée et qui me fait douter de tous les hommes, de toi comme des autres. Si je savais qu'un remariage pût faire le malheur de mon père, je le laisserais convoler avec plaisir. Mais ce n'est pas le cas. La

femme qu'il aime est une créature très douce,
belle, intelligente et bonne, paraît-il...

Philippe pensait à la femme que Michel Delahaye avait quittée et qui n'était, elle, ni douce
ni bonne. D'après ce que Philippe avait
entendu raconter chez lui, Michel Delahaye
s'était laissé prendre vingt ans plus tôt dans
les rêts d'une coquette. Fils unique, il avait,
encore étudiant, perdu ses parents et hérité
d'un luxueux appartement à Auteuil, ainsi que
de revenus plus que confortables. Pendant ce
temps, à La Jonquière grevée d'hypothèques,
vivaient une veuve et ses trois filles, des Delahaye, elles aussi, mais qui n'avaient de commun avec le jeune Michel qu'un lointain
ancêtre paternel. L'aînée des filles, Solange,
avait quatre ans de plus que Michel. Elle était
très belle et aussi rouée que sa mère. Attirer
le riche héritier fut un jeu pour elle. Le
retenir, une autre affaire. Après l'échec de
leur mariage, Michel, qui était devenu ingénieur des Eaux et Forêts, acceptait, huit ans
plus tard, la situation qu'on lui offrait au
Canada.

« A sa place, songeait Philippe, j'aurais fait
comme lui. »

Il détourna les yeux de crainte qu'Isabelle
ne devinât ses pensées.

— Qui t'a si bien renseignée sur ton père ?
demanda-t-il.

— Un journaliste canadien que mam' et moi

avons rencontré, le mois dernier, sur le *France*, au cours de notre croisière en Méditerranée. Le hasard a voulu qu'il soit placé à notre table pendant un repas. Notre nom a fait lever en lui certains souvenirs... « Au cours d'un reportage sur les usines de pâte à papier du Québec, nous a-t-il expliqué, j'ai été présenté à un de vos compatriotes, un ingénieur forestier de grande valeur qui a trouvé un remède contre une maladie attaquant les résineux. Le Canada lui doit beaucoup. Il s'appelle Michel Delahaye. Ce n'est pas un de vos cousins, par hasard ? »

J'ai failli crier la vérité, mais sous la table, un coup de pied de mam' m'a arrêtée. « Aucun membre de notre famille n'a, à ma connaissance, émigré au Canada », a-t-elle répondu. Puis, adroitement, tout en feignant de s'intéresser à l'industrie forestière du Québec, ce dont elle se fiche éperdument, elle a questionné l'autre sur papa. C'est comme ça que nous avons appris qu'il était à la tête d'une grande entreprise industrielle et qu'il allait probablement épouser la fille de son associé, une jeune veuve de vingt-sept ans, Hélène Beaucourt. Le journaliste ne tarissait pas d'éloges sur elle. Tu te rends compte si c'était agréable pour nous ?

« Vous l'aviez bien cherché », faillit riposter Philippe. Il se retint à temps.

— Et que comptes-tu faire ? demanda-t-il.

Isabelle eut un demi-sourire qui donnait à son visage une expression perverse.

— Il existe cent façons de saccager un amour, dit-elle. Je n'aurai que l'embarras du choix.

— Et tu t'imagines qu'il te suffira de jouer les pestes pour détacher un homme de quarante ans...

— Trente-neuf, rectifia-t-elle. Papa n'avait que dix-neuf ans quand je suis née.

— ...pour détacher un homme de trente-neuf ans d'une jeune femme qui lui plaît ? reprit-il. Tu es naïve. Ils t'enverront sur les roses ou, comme tu es mineure, ton père te contraindra à regagner dare-dare le logis maternel. Je te conseille de prendre un aller et retour, ça te permettra de garder le beau rôle.

Elle haussa les épaules et, d'une voix nette :

— Je réussirai, sois tranquille. J'ignore encore de quelle manière je m'y prendrai. Les événements me guideront. Mais je te jure que papa abandonnera ses projets et souffrira autant qu'il nous a fait souffrir.

— Œil pour œil, se moqua Philippe. Joli programme !

Il lui mit les deux mains sur les épaules et regarda longuement le fin visage qu'une expression butée, impitoyable, durcissait. Il éprouvait pour elle plus de pitié que de mépris, car Isabelle n'était pas complètement responsable de ses démons. Philippe savait dans quel climat

détestable elle avait été élevée. Les Delahaye
avaient toujours vitupéré l'absent, l'accusant
d'être à l'origine de leurs ennuis et même des
extravagances de la jeune fille. Plaintive, la
mère d'Isabelle avait attaché le grelot.

— Comment exiger qu'Isa soit raisonnable ?
Une enfant sevrée d'autorité paternelle se sent
différente de ses compagnes...

La grand-mère avait repris haineusement
l'antienne.

— Isabelle glisse sur une mauvaise pente,
confiait-elle volontiers à ses deux autres filles,
Alice et Berthe, aigries, elles, par le célibat.
Et je ne parle pas seulement de ses fréquen-
tations douteuses, mais elle est incapable
d'affection et semble habitée par le génie du
Mal...

Et les trois femmes ajoutaient avec un
hochement de tête et un regard venimeux :

— Rien d'étonnant. La pauvre petite a hérité
cette malfaisance de son père...

L'expression de commisération qui assom-
brissait le visage de Philippe agaçait Isabelle.

— Tu me trouves infecte, n'est-ce pas ?
Avoue-le, ça te soulagera.

— Je ne te ferai pas ce plaisir, riposta Philippe, gagné à son tour par l'irritation. Tu te
crois une fille cynique et tu n'es qu'une pauvre
petite bonne femme sans personnalité. Tu
calques tes manières sur celles de tes yéyés et
tes sentiments sur ceux de ta famille. Rien

DE FIEL ET DE MIEL

de ce que tu affiches ne t'appartient en propre.

D'un geste félin, elle libéra ses épaules des mains de son compagnon, puis jeta, rageuse :

— Tu n'as rien compris, rien. Quoi d'étonnant, du reste ? Tu juges l'aventure de papa avec ta mentalité, ton égoïsme d'homme. Mon père, il a été mon premier, mon seul amour, si tu veux le savoir. A mes yeux, il était une manière de divinité. Je l'admirais, l'aimais sans restriction. J'en étais fière. Avec lui, j'étais douce, gentille, obéissante. Son affection répondait à la mienne, du moins je le croyais. Et puis, le jour de mes huit ans, il a quitté la maison sans même me préparer à son départ. Je n'ai eu droit ni à un mot d'explication, ni même à un simple baiser d'adieu. Je revois encore le gâteau d'anniversaire avec huit bougies allumées, un gâteau que je ne voulais pas couper avant que papa soit là... C'est de ce jour que je n'ai jamais plus accordé ma confiance à un homme.

Les larmes gonflaient de nouveau ses paupières. Elle en écrasa une qui perlait au bout de ses longs cils et sourit comme pour se moquer d'elle-même. Elle hésitait entre la tristesse et la colère et son visage habituellement fermé refléta soudain la déroute de ses sentiments. Une émotion qu'elle ne retenait plus attendrit sa bouche aux lèvres délicatement ourlées.

Philippe en fut tout chaviré.

D'un geste à la fois tendre et possessif, il attira Isabelle contre lui. Dans le même temps, il se contracta, prêt à la gifle ou à la bourrade qu'elle n'allait pas manquer de lui lancer. Mais, bouleversée par ses souvenirs, Isabelle semblait sans défense. Elle s'abandonna, toute amollie, à l'étreinte du jeune homme. Il se pencha sur le frais visage qui conservait encore les contours de l'enfance, sur les lèvres attirantes qui paraissaient douces, si douces...

Isabelle sentit le souffle de Philippe. Ses idées se brouillèrent. Elle avait chaud et pourtant son corps frissonnait. Elle s'affolait de la hardiesse de son compagnon mais se sentait incapable de le repousser.

Et pendant qu'il pensait, lui, qu'après tout elle n'était pas si différente des autres filles, Isabelle eut un brusque sursaut de honte, de dégoût, de colère, et mordit si cruellement les lèvres écrasant les siennes qu'il s'écarta d'elle avec un juron.

Un goût de sang dans la bouche, elle s'enfuit en courant vers la grande maison Directoire, à l'orée du parc. Une joie féroce faisait étinceler l'eau bleue de son regard. Comme elle atteignait le perron, un souvenir la traversa.

« Se laisser attendrir par un homme, lui avait confié sa mère, un jour où elle s'épanchait, c'est ouvrir la porte à la souffrance. »

« Autres temps, autres mœurs, se disait

Isabelle. La souffrance, c'est moi qui l'inflige, maintenant. »

Elle se sentait triomphante, invulnérable et assez dure pour mener à bien la mission dont on l'avait chargée.

II

Dans le Québécois, le printemps tardait à
venir. Si le Saint-Laurent, débarrassé de ses
glaces, était rouvert à la navigation, si dans
les villes jalonnant son cours, jardins et parcs
refleurissaient, il suffisait, pour retrouver
l'hiver, de gravir les premiers contreforts des
montagnes boisées qui, à l'ouest, dominent les
eaux bleues du fleuve. En forêt, la neige recouvrait encore les chemins et le givre empêchait
les bourgeons de s'épanouir.

A la ferme des Epinettes, derrière les vitres
des doubles fenêtres soigneusement closes,
Hélène Beaucourt guettait le retour de Michel.
L'avant-veille, au volant de sa jeep, l'ingénieur
s'était enfoncé au cœur de la forêt. Il voulait
inspecter les rivières. Le moment de la

« drave » était venu et il désirait s'assurer que les billes de bois pourraient de nouveau flotter librement en direction des usines de pâte à papier. Il avait promis d'être de retour deux jours plus tard, en fin d'après-midi et, sur les instances de Joseph Dufour, le père d'Hélène, il avait accepté de délaisser ensuite provisoirement ses deux domiciles habituels : un studio à Québec et une maison à Chicoutimi, pour rejoindre, entre ces villes, la famille Dufour qui, chaque année, s'installait d'avril à octobre aux Epinettes.

Leur demeure d'été se composait d'un long bâtiment bas, construit à la fin du siècle dernier par l'arrière grand-père d'Hélène, et auquel on avait adjoint par la suite deux ailes en équerre. Les murs étaient crépis de blanc, les fenêtres doubles à petits carreaux, les volets en bois vert foncé. D'amusantes lucarnes perçaient les hauts toits couverts de bardeaux de cèdre. Devant la façade, une pelouse, jaunie par l'hiver, descendait en pente douce jusqu'au lac Saint-Aspais, immense miroir d'eau, dont les rives découpées et boisées s'ourlaient encore, en ce début de mai, d'une frange de glace.

Si, extérieurement, la maison avait conservé son cachet de demeure ancienne et sans prétention, de l'autre côté du seuil, qu'abritait un porche à quatre colonnes, elle perdait toute sa rusticité. Boiseries, meubles de style, œuvres d'art, tableaux et tapis, transformaient la

vieille ferme en manoir et prouvaient le raffinement de ses propriétaires. Un luxueux
confort rendait les Epinettes agréables à habiter en toute saison et les anciennes cheminées
à l'âtre profond et au large manteau de pierre
n'avaient été conservées que pour le plaisir
d'y voir flamber les bûches.

De la fenêtre de son boudoir, une pièce aux
meubles romantiques, égayée de chintz fleuri,
et située, comme sa chambre, sous les combles
de l'aile droite, Hélène embrassait un vaste
panorama allant des croupes montagneuses,
encore enneigées, jusqu'au déversoir du lac,
une rivière si lointaine et si large que la ligne
de ses eaux se confondait avec celle de
l'horizon. Un soleil oblique soulignait d'un
trait étincelant le cristal des rives. A gauche,
émergeant d'un bois de sapins, le clocher blanc
du village de Saint-Aspais. Quelques toits de
chalets s'apercevaient entre les arbres. Aucune
vie n'animait ce paysage d'hiver, et la jeune
femme se demandait si Michel n'avait pas fait
preuve d'un optimisme exagéré en annonçant
que le temps de la « drave » était arrivé. Il
gelait encore toutes les nuits et si les rivières
qui alimentaient le lac s'éveillaient de leur long
engourdissement, leurs eaux ne pouvaient
encore charrier que des glaçons.

Elle n'aimait pas cette saison de transition
précédant l'éclosion du printemps. En hiver,
lorsque les chemins sont obstrués par les
congères, elle pouvait penser à Michel sans

cette crainte obscure qu'elle avait depuis deux
jours au fond du cœur. Dédaignant les traîneaux trop lents, l'ingénieur visitait alors ses
chantiers les plus éloignés en hélicoptère.
C'était un excellent pilote et il n'y avait pas à
trembler pour lui. Mais dès que les clairières
s'émaillaient de larges plaques d'humus et
que les pistes forestières redevenaient acces-
sibles, Michel reprenait le volant de sa jeep et
Hélène recommençait de s'inquiéter. Elle connaissait trop bien la traîtrise des routes ver-
glacées bordant les ravins, celle des lacs de
montagne encore blancs de neige, mais dont
la croûte de glace est devenue trop mince pour
supporter le poids d'un traîneau ou d'une
voiture. Or, si Michel était bon pilote, il se
montrait, en revanche, un piètre conducteur.
A la fois distrait et d'une intrépidité à donner
le frisson, il se fiait trop souvent à sa bonne
étoile. Et en songeant à la longue course qu'il
avait entreprise, Hélène souhaitait que cette
fois encore la chance ne l'abandonnât point.

Un léger bruit derrière elle l'arracha à sa
rêveuse contemplation. Elle se retourna. La
pièce était vide, mais dans la chambre, séparée
du boudoir par une large ouverture cintrée,
une porte s'ouvrait lentement.

Hélène quitta son observatoire. Encastrée
dans les lambris de bouleau aux reflets soyeux
qui revêtaient les murs et les plafonds des
deux pièces, une haute glace rectangulaire lui
renvoya son image. Hélène eut un regard cri-

tique pour sa silhouette, longue mais trop
robuste à son gré, qu'habillait un élégant tail-
leur de jersey blanc, et pour son visage qu'elle
eût voulu dépourvu de ces maudites taches de
rousseur. Elle s'étonnait que Michel la trouvât parfaitement belle. Certes, le nez droit et
court, la bouche délicatement ciselée et toujours prête à sourire, n'étaient pas désa-
gréables à regarder, et puis il y avait ces yeux
brillants dont l'iris passait, suivant les circonstances, par toutes les nuances du bleu et du
gris, et ces épais cheveux, d'un blond doré
presque roux, qu'elle retenait dans un chignon en laissant deux vagues souples sur les
tempes.

« Disons que ma frimousse est gracieuse,
pensa Hélène, mais sans plus. Seul un regard
aimant peut la trouver sans défauts. »

Au souvenir du regard brun qui l'admirait
sans restriction, une chaleur colora ses joues.
Elle n'eut pas le loisir de s'abandonner à son
émotion. La porte, poussée d'abord lentement,
s'était rabattue d'un seul coup contre la cloi-
son, livrant passage à un garçonnet hilare. Il
n'avait que six ans, mais en paraissait facilement huit. Nez court, cerné de taches
rousses, yeux verts malicieux, tignasse blonde
où restaient accrochées des brindilles et des
feuilles sèches. Sa chemise écossaise ne tenait
plus que par un bouton, et son pantalon de
velours côtelé était maculé de boue, effrangé
aux chevilles. Il trépignait de joie, ses chaus-

sures cloutées martelant la moquette gris pâle
qui recouvrait le plancher de la chambre. Au
bout de son poing gauche, accroché par les
ouïes, pendait un long poisson aux écailles
d'argent.

— Maman ! Regarde la belle truite que j'ai
prise. Et c'est moi qui l'ai pêchée, moi tout
seul.

Un bref froncement de sourcils lui apprenant
que sa mère n'était nullement décidée à apprécier son exploit, il ajouta, sûr de la toucher
au point sensible :

— C'est pour Michel. Tu la feras cuire pour
lui quand il reviendra.

Il guetta l'expression heureuse qu'elle prenait chaque fois qu'il s'entretenait avec elle
de leur grand ami. Mais comme aucun sourire ne déridait les traits d'Hélène, il perdit
son assurance.

— Tu es fâchée ? C'est pourtant une belle
truite !

Fâchée ? Elle sentait qu'elle devrait l'être
et gronder sévèrement ce petit diable aux ins-
tincts de braconnier. Mais l'imaginant penché imprudemment au-dessus de l'eau, elle
cédait à l'effroi plus qu'à la colère.

— Tu as désobéi, Pierrot. Une fois pour
toutes, je t'ai défendu de descendre jusqu'aux
rives quand tu es seul.

Les yeux du garçon recommencèrent à pétil-
ler. La joie revenait dans son cœur. Il suffisait de rassurer maman et les félicitations

attendues tomberaient sur lui comme une
pluie d'or.

— Je n'ai pas désobéi, puisque je ne suis
pas descendu au bord du lac, affirma-t-il avec
un sourire enjôleur. Ce poisson-là, je l'ai attra-
pé derrière l'érablière, dans la rivière aux
loutres. L'eau y est encore toute gelée et c'est
par des trous dans la glace que j'ai fait descendre mon hameçon.

« Quelle imprudence, mon Dieu ! pensait
Hélène, affolée. Et si la glace avait cédé sous
lui ! »

Pierrot continuait, très fier de sa prouesse :

— Grand-père m'a raconté qu'il pêchait
comme ça dans le Saint-Laurent, en hiver,
quand il était jeune et qu'il habitait Trois-
Rivières.

— Il avait sûrement plus de six ans, riposta
Hélène en affermissant sa voix.

C'était idiot de discuter. Elle le savait. Michel le lui répétait assez souvent : « Avec Pierrot, pas de discours. Il a besoin de se sentir
tenu. Indiquez-lui fermement où s'arrêtent ses
prérogatives. Mais si vous raisonnez avec lui,
vous êtes perdue. Il aura le dernier mot. »

Il savait s'y prendre, lui, Michel. Elle, non.
Son fils la déroutait. Elle discernait bien les
défauts de l'enfant, mais ne savait comment
les corriger. Il lui semblait que l'éducation
d'une fille eût été plus facile. Ah ! si elle avait
eu une petite fille douce et tendre comme elle
l'avait été elle-même ! Mais pour tenir son

démon de fils, il fallait une poigne d'homme.
Sa pensée vola vers Michel et, une fois de
plus, elle mesura le besoin qu'elle avait de lui.

Pierrot s'apprêtait à démontrer à sa mère
que puisqu'il avait pêché un si beau poisson
à six ans seulement, il était encore plus malin
que son grand-père, lorsque la voix de Louise,
dans le couloir, arrêta net son inspiration.

Louise, une solide paysanne au service de
la famille Dufour depuis cinquante ans, avait
le verbe haut, la gronderie facile et se faisait
obéir des enfants.

— Qu'est-ce que c'est que toutes ces taches
de bouette sur mes tapis ? Je ne vais pas
recommencer le ménage à la brunante, non ?
Ah ! Je m'en doutais, ajouta-t-elle en décou-
vrant Pierrot dans la chambre de sa mère.
On te suit à la trace, mon bonhomme. Tu ne
pourrais pas te déchausser avant de barlander
dans la maison ? Tu te crois à l'écurie, icitte,
ma parole !

— J'ai pêché une grosse truite, dit vivement
le petit pour s'excuser.

Louise s'avança dans la pièce. Elle avait
des joues rondes, sans rides malgré ses cheveux blancs, une opulente poitrine et un large
giron contre lequel s'étaient autrefois blottis
tous les petits Dufour. Elle renifla dédaigneusement en direction du poisson.

— Une truite, ça ? Une loche, oui.

— Alors, c'est une belle loche, plastronna
Pierrot en refusant la défaite.

La servante l'entraîna vers la salle de bains.

— Et y a pas de quoi se montrer si faraud. A pêcher sans permis, un beau jour, on se retrouve en prison. Que dirait M. Michel s'il apprenait ça ? Et ton grand-père, donc...

Elle se retourna vers la jeune femme qu'elle couva d'un regard maternel.

— A propos, Monsieur veut te parler, Hélène. C'était pour te prévenir que j'étais montée icitte. Il t'attend dans la bibliothèque avec un ami venu le visiter.

— Quel ami ? demanda vivement la jeune femme.

Louise eut un petit sourire mystérieux.

— Descends donc. Tu le verras bien.

Aucun des six enfants de Joseph Dufour n'avait jamais franchi le seuil de la bibliothèque sans une pointe d'appréhension. C'était dans cette pièce austère, où le jour ne pénétrait qu'à travers les vitraux colorés de deux fenêtres ouvrant sur une prairie, qu'ils avaient encaissé leurs plus sévères réprimandes ou écouté respectueusement leur père exprimer des volontés qu'il n'était pas question de discuter. Entre les trois murs tapissés de reliures sombres, face au quatrième d'où les surveillait la sévère effigie du bisaïeul, (ancien relieur, émigré de France, qui voulant fabriquer lui-même ses propres cartonnages, avait

fondé la compagnie des Papiers et Cartons
Dufour : dix employés en 1880, plus de cinq
mille actuellement), les tête-à-tête avec le chef
de famille revêtaient une solennité qu'ils
n'avaient pas ailleurs.

Hélène, la benjamine, plus choyée pourtant
que ses aînés, détestait cette pièce presque
autant qu'eux et n'y pénétrait jamais sans un
vague malaise. C'était là que, sept ans plus
tôt, elle avait accepté le fiancé que lui avait
choisi son père pour mettre fin, pensait-il, aux
idées d'indépendance de la jeune fille.

Brillante élève d'un cours secondaire,
Hélène, que tentait la recherche médicale,
avait, quelque temps avant cette entrevue,
manifesté le désir de s'inscrire à l'université
de Montréal. S'éloigner des siens pour se consacrer à des études qui l'attiraient, c'était pour
elle le seul moyen d'oublier deux yeux noirs un
peu tristes dans un visage hâlé aux traits
virils : ceux de Michel Delahaye, le nouvel
associé de son père. Le fait d'aimer en secret
un homme qu'elle savait marié et qui, en outre,
ne lui accordait aucune attention, lui apparaissait comme une espèce de tare morale, un mal
qui ne pouvait être guéri qu'en tranchant dans
le vif. Mais elle avait compté sans le confor-
misme de son père.

Joseph Dufour n'admettait pas que ses filles,
si douées qu'elles fussent, choisissent de
mener la vie libre des étudiants. Savoir diriger une maison, se marier, élever des enfants,

lui semblaient les seules occupations dignes
d'une vraie femme. A son avis, l'université ne
convenait qu'aux garçons ; aussi avait-il refusé
à Hélène le droit de s'y inscrire. Et, fidèle à
une tradition qui avait donné d'excellents
résultats avec ses trois autres filles, il avait
présenté à la jeune rebelle le fils d'un ami,
un garçon possédant à ses yeux toutes les qualités d'un bon époux. Hélène voulait vivre à
Montréal ? Qu'à cela ne tienne, elle y partirait,
mais au bras d'un mari. Edmond Beaucourt
était avocat dans cette ville.

Or, pour le malheur d'Hélène, Joseph Dufour s'était lourdement trompé sur son gendre.
Edmond réservait le meilleur de lui-même à sa
profession. Dans l'intimité, il se révéla brutal,
égoïste et si odieux qu'il ne fit naître chez sa
compagne que des sentiments de révolte et de
dégoût. Lorsqu'il mourut l'année suivante dans
un accident de voiture, Hélène n'eut pas l'hy-
pocrisie de le pleurer.

Elle resta à Montréal, refusant de revenir
dans sa famille, craignant, en revoyant Michel,
de rouvrir l'ancienne blessure qui se cicatri-
sait peu à peu. Tout en élevant son fils, elle
suivit les cours d'une école d'infirmières. Trois
ans plus tard, son père l'adjurait de remplacer, à la tête des dispensaires qu'il avait créés
pour le personnel des usines Dufour, sa mère
qui venait de tomber gravement malade.

C'était un devoir auquel elle ne pouvait se
soustraire. Elle retrouva sa place au foyer

paternel et montra tant de compétence dans
la tâche qui lui était confiée qu'à la mort de
Mme Dufour son père lui abandonna la res-
ponsabilité de toutes les questions touchant
l'hygiène et le bien-être des ouvriers. Hélène
passait son temps entre les moulins de pâte
à papier situés au nord de Québec et que diri-
geaient M. Dufour et son fils, Paul, et les usines
de Chicoutimi, créées par Michel Delahaye qui
avait eu l'idée d'utiliser les déchets de scierie
pour fabriquer des panneaux de fibres.

Entre Michel et elle s'étaient noués des
liens de tendre amitié.

Tout en se hâtant vers la bibliothèque située
au rez-de-chaussée, elle se demandait ce que
son père lui voulait. Le fait qu'il eût choisi
cette pièce pour lui parler prouvait qu'il désirait donner un caractère solennel à leur entretien. Qui était donc avec lui ? Michel, probablement, L'appréhension empêchait Hélène de
se réjouir.

En traversant le grand salon, elle aperçut à
travers les baies ses deux belles-sœurs : Marie-
Jeanne, la femme de Paul, et Gabrielle qui
avait été l'épouse d'Henri, l'aîné, tué en 1944
lors du débarquement sur les côtes de France.

A quarante ans, Gabrielle, qui ne s'était pas
remariée, était une femme vive, coquette,
enjouée, à qui la famille pardonnait ses manières affranchies, tant était grand son dévoue-
ment pour ses neveux et nièces.

Gabrielle et Marie-Jeanne, toutes deux en

costume de cheval, une cravache à la main, revenaient des écuries situées derrière la maison. Elles discutaient avec animation, leur regard fixé sur les fenêtres de la bibliothèque. L'idée de les questionner sur l'identité du visiteur effleura Hélène, mais elle y renonça, redoutant comme la peste l'expression narquoise des yeux noirs de Gabrielle lorsque celle-ci lui parlait de Michel. A plusieurs reprises, Hélène s'était demandé si entre sa provocante belle-sœur et Michel n'existait pas autre chose qu'une platonique amitié.

A l'instant où elle repoussa derrière elle la porte de la bibliothèque, elle sut qu'elle s'était trahie. Pour son père qui l'observait, la surprise puis la déception, qui avaient affleuré à son visage, étaient aussi facilement déchiffrables que des lignes imprimées sur une page blanche. L'irritation effaça ses autres sentiments.

« Idiote ! pensa-t-elle dans un éclair. Je connais pourtant le piège... Moi en pleine lumière. Lui à contre-jour, assis derrière son bureau, qui guette mes réactions et en tirera les conclusions qui s'imposent. Quelle idée aussi de ne pas m'avoir fait prévenir par Louise qu'il m'attendait en compagnie de Jacques. »

Jacques Russel, l'ami d'enfance, l'ancien compagnon de jeux. Trois ans de plus qu'elle. Moqueur et fraternel. Un visage lisse aux yeux clairs sous les cheveux blonds. Une robuste

silhouette. Jacques qui, à dix ans, lui affirmait : « C'est avec toi que je me marierai. »
Il avait suivi ses parents en Colombie britan-
nique où il avait fait des études de vétérinaire. Mais Québécois de cœur, il était revenu
dans sa province natale et exerçait son métier
dans les Laurentides, à quelques milles de
Saint-Aspais. Il était célibataire.

Bien qu'Hélène le rencontrât souvent, car
M. Dufour appelait le docteur Russel chaque
fois qu'un animal, aux Epinettes, avait besoin
de soins, elle n'éprouvait à son égard aucune
curiosité particulière. Jacques, c'était pour
elle un passé lointain, incolore, sans importance.

— Bonjour, Hélène, dit-il en s'avançant vers
la jeune femme, main tendue, visage ouvert. Je
suis bougrement heureux de te revoir.

Elle s'était reprise, lui souriait en répondant
à son salut.

— Sois le bienvenu, Jacques. Quelle bonne
idée tu as eue de monter jusqu'ici !

— L'idée n'est pas de moi.

Sourcils hauts, tourmentée par une vague
inquiétude, elle le regarda, quêtant une explication. Ce fut M. Dufour qui répondit. Le père
d'Hélène émergeait de la pénombre, dépliant
son grand corps osseux. Une brosse de cheveux gris dominait son visage au nez mince,
où des yeux couleur d'ardoise brillaient sous
d'épais sourcils. Cet homme de soixante-dix
ans, sec et droit, affichait une expression de

dignité altière qui suggérait une volonté sans faiblesse.

— J'ai offert à Jacques de passer quelque temps avec nous, dit-il d'un ton bref. Après l'épizootie qui a ravagé plusieurs écuries de la région, j'ai des craintes au sujet du poulinage de Bagatelle et de Señora. Un de ses confrères ayant pu le remplacer, Jacques a accepté très aimablement mon invitation.

Hélène exprima alors au jeune homme sa satisfaction de le compter au nombre de leurs hôtes. Mais seule sa parfaite éducation lui dictait ses paroles. Non seulement son cœur restait muet, mais le malaise qui l'avait d'abord vaguement étreinte se précisait. Si son père avait réuni Michel et Jacques sous son toit, ce n'était sûrement pas sans une arrière-pensée. Qu'attendait-il de cette confrontation ? Les deux hommes s'étaient rencontrés à plusieurs reprises, mais la sympathie qu'ils éprouvaient l'un pour l'autre se mitigeait d'une certaine réserve. M. Dufour désirait-il qu'ils fissent plus amplement connaissance ? Mais dans quel dessein ?

— Je te verrai tout à l'heure, Hélène, dit Jacques en se dirigeant vers le couloir. J'ai aperçu Gabrielle et Marie-Jeanne. Je vais aller les saluer. Quels autres membres de la famille aurai-je encore le plaisir de côtoyer dans cette accueillante maison ?

— Pierrot, naturellement, mais il est si turbulent que tout le plaisir sera pour lui, dit

Hélène en souriant. Marie-Jeanne est venue se reposer, seule, sans ses quatre enfants qui sont en pension à Québec. Paul ne les amènera que pour la Pentecôte. Tu verras aussi Michel qui doit séjourner ici quelque temps. Le reste de la famille, comme tu le sais, habite Ottawa et ne vient aux Epinettes que pour les vacances. Nos domestiques, tu les connais. Louise, toujours aussi dévouée que bougonne, est aidée maintenant par Lucie, une de ses filles. La grosse Céline s'active à la cuisine. Son mari, Thomas, s'occupe du jardin et son fils, des écuries. Comme tu peux le constater, rien ne change beaucoup aux Epinettes.

Dès que la porte fut retombée derrière Jacques, M. Dufour s'approcha d'Hélène et lui mit sa main sèche sur l'épaule.

— J'ai enfin appris ce que je désirais savoir.

Elle tressaillit et le regarda avec crainte. Mais dans le visage ascétique, le regard gris exprimait plus de tristesse que de réprobation.

— Tu aimes Michel, n'est-ce pas ?

Elle ne baissa pas les yeux.

— C'est vrai, père. Mais comment l'avez-vous deviné ?

Il accentua la pression de sa main.

— Je t'observe depuis longtemps. Oh! tu sais admirablement te dominer et il m'était difficile de vérifier si je me trompais ou non. Mais à deux reprises, tout à l'heure, tu t'es trahie : d'abord en laissant apparaître ta déception à la vue de Jacques alors que c'était sûrement Michel que tu t'attendais à trouver auprès de moi, ensuite en associant ce dernier à ce que tu as de plus cher au monde: ta famille. Avant toute chose, je tiens à faire le point avec toi. Où en êtes-vous, tous les deux ?

Il la sentit qui se cabrait et reprit plus doucement :

— Je veux parler des sentiments de Michel à ton égard. Crois-tu qu'ils répondent aux tiens ?

— Je le crois.

— Il t'en a fait part ?

Elle eut un sourire très doux qui illumina le bleu de son regard.

— Pas explicitement, mais je suis sûre de ne pas me tromper. Rassurez-vous, père, entre Michel et moi, il n'existe rien d'inavouable.

Il la lâcha et fit quelques pas dans la pièce, les mains derrières le dos. La lumière, que filtraient les vitraux des deux fenêtres, irisait son haut front dominateur. Il revint vers sa fille, s'arrêta devant elle et l'observa avec une attention émue.

— Je ne considère pas comme inavouable l'amour que vous pouvez éprouver l'un pour l'autre, dit-il avec une tendresse qui était infiniment émouvante pour des oreilles habituées à un autre ton. Et, s'il le faut, je vous aiderai à renverser les obstacles qui s'opposent à votre bonheur.

Hélène en resta sans voix. Avait-elle bien entendu ? C'était impensable que la rigueur morale et religieuse de son père s'accommodât des paroles qu'il prononçait. Il connaissait la situation de Michel, ou tout au moins en avait appris suffisamment à ce sujet pour savoir que son associé n'était pas libre.

« Je suis marié, lui avait avoué autrefois Michel. Une femme m'a fait perdre la tête. Je l'ai épousée. Une erreur de jeunesse que je regretterai toute ma vie. »

Puis son visage s'était fermé comme s'il avait répugné à se confier davantage. Joseph Dufour n'avait jamais posé de questions. Avait-il oublié cet aveu, lui qui n'oubliait jamais rien ?

Hélène était devenue très pâle et regardait son père avec autant de désepoir que de rancune. Pourquoi avait-il abordé ce sujet ? Un sujet douloureux parce qu'insoluble. Entre Michel et elle existait une passion qu'un sceau de souffrance et d'interdits maintenait captive et que trahissait seulement l'émotion d'un regard ou la douceur d'un geste. Hélène se contentait de ce mince bonheur. Traumatisée par la désastreuse expérience de son mariage, elle n'aspirait qu'à la tendresse dont Michel l'enveloppait. Peut-être vivait-elle dans un rêve ? Et alors ? En quoi cela regardait-il son père ? Avait-il besoin de la confronter brusquement avec le réel ? de lui faire prendre conscience de ses responsabilités ?

— Michel est marié, jeta-t-elle d'un ton amer. Nous ne pouvons donc éprouver l'un pour

l'autre qu'une tendre amitié, puisque vous ne
consentiriez jamais à me voir épouser un
divorcé.

— Je ne pense pas au divorce, dit-il lentement.

Ses traits restaient impassibles. Pourtant, le
coup avait été rude. Elle lui avait lancé son
dernier trait comme un grief et si elle tenait
encore compte des principes religieux de son
père, en revanche, elle semblait abjurer les
siens. Il s'effraya secrètement de la profondeur
d'un amour dont elle paraissait ignorer la violence dévastatrice. Courait-elle, une fois de
plus, au-devant d'une lourde désillusion ?
Celle-ci serait si cruelle qu'elle ne le supporte-
rait pas. Or, Joseph Dufour ne voulait plus voir
souffrir sa fille préférée. Le souvenir des tourments qu'il lui avait involontairement infligés
en la mariant à cet ignoble individu hantait sa
conscience. Des échos de l'inconduite de son
gendre étaient venus jusqu'à lui, aiguisant ses
remords. Il se considérait comme redevable
envers elle d'une dette de bonheur et se sentait prêt à tous les sacrifices pour la lui payer.

Voyant la stupeur d'Hélène, il poursuivit :

— Il nous faudrait connaître les conditions
dans lesquelles Michel s'est marié Je me souviens qu'autrefois il avait fait allusion devant
moi à une sorte de contrainte. S'il y a eu pression contre sa volonté, ce sera relativement
facile de faire annuler cette union. La mère
de Marie-Jeanne, de souche italienne, a un

cousin, prélat à Rome et auditeur au Conseil
de la Rote. Ce « Monsignore », influent et très
attaché à sa famille, ne refuserait sûrement
pas de nous aider...

La stupeur d'Hélène avait fait place à une
immense tristesse. Non seulement son père ne
pouvait rien pour elle, mais la vérité risquait
de le blesser et d'altérer l'estime qu'il éprouvait pour Michel. Un bref instant, elle eut envie
de lui apprendre ce qu'il ignorait : que Michel
avait une fille et que jamais, dans ces conditions, son mariage ne pourrait être annulé. Puis
le courage lui manqua. Elle avait peur de
réveiller en elle la meute de doutes et de soupçons, qui l'avaient harcelée lorsque Michel lui
avait brièvement avoué l'existence de sa fille.
Qu'il se fût séparé d'une femme détestable, elle
l'admettait. Mais lui qui semblait tant aimer
les enfants et qui manifestait à Pierrot une
tendresse toute paternelle, comment avait-il pu
abandonner une fillette de huit ans ? Elle
n'avait pas osé lui poser la question, mais à
ce moment, elle s'était demandé s'il ne lui dissimulait pas son vrai visage et si, au fond, il
n'était pas aussi odieux, dans son genre, qu'Edmond, l'avocat beau parleur qu'elle avait eu
l'imprudence d'épouser. Puis les jours et les
mois avaient passé. En connaissant mieux
Michel, en comprenant que sa bonté, sa loyauté
ne pouvaient être mises en doute, elle avait
abandonné toute méfiance à son égard. Pourtant, au fond d'elle-même, à cause de cette fille

lointaine, subsistait une petite cicatrice douloureuse, à laquelle elle préférait ne pas toucher.

S'apercevant que son père attendait une
réponse, elle dit avec toute l'affection dont elle
était capable:

— Merci, papa chéri, de vous préoccuper à
ce point de mon bonheur. Michel voudra sûre-
mnet discuter avec vous de sa situation familiale mais, je vous en prie, laissez-moi le soin
de le prévenir. N'abordez pas ce sujet avec lui
avant que nous en ayons parlé entre nous.

— Bien sûr, ma petite Hélène, et même si...
La sonnerie du téléphone l'interrompit. Il
décrocha l'appareil posé sur son bureau. Aux
premiers mots de son correspondant, il tendit
le second écouteur à sa fille. La voix de l'aimé
amena un sourire sur les lèvres de la jeune
femme, fit resplendir le regard bleu. La tournée de Michel était terminée, mais il désirait
pousser jusqu'à Québec afin de prendre son
courrier. De ce fait, il n'arriverait qu'à l'heure
du souper et s'excusait de son retard.

— J'irai au devant de lui, décida Hélène.

III

Elle chaussa ses bottes de cuir, prit ses gants fourrés, puis, pour que Michel la distinguât facilement, elle choisit un manteau de lainage écossais aux tons vifs, qu'il connaissait bien.

Pour rejoindre la grand-route, Hélène avait le choix entre deux itinéraires : longer l'allée privée, bordée de deux rangées d'ormes, qui reliait les Epinettes au village, ou emprunter un sentier qui flânait sous bois en suivant les méandres de la rivière aux loutres. Estimant qu'il fallait à Michel un minimum de deux heures pour revenir de Québec, elle choisit l'itinéraire le plus long.

Michel lui avait fait partager son amour et sa connaissance approfondie de la forêt ; aussi éprouvait-elle toujours un plaisir à s'enfoncer sous le couvert des arbres. Les sens en éveil, elle guetta les premiers signes du printemps. Les chatons des saules, les rameaux reverdis des bouleaux, prouvaient que, malgré les plaques de neige qui blanchissait encore les sousbois, l'hiver desserrait son carcan.

Le soleil avait amolli la terre du sentier. Elle vit qu'un animal avait laissé, près de la rivière, l'empreinte de ses sabots. Dans la glace, il y avait un large trou par où il s'était abreuvé. Hélène regarda la croûte translucide, si mince qu'elle se crevassait là où le courant était le plus fort. Elle frémit au souvenir de la témérité de son fils. Peut-être que plus au nord, sous l'arche des érables, la glace gardait plus d'épaisseur? Mais, tout de même, quelle imprudence! Et inutile de demander à Michel d'effrayer l'enfant. Il sourirait aux craintes d'Hélène. D'abord, la rivière aux loutres n'était-elle pas enchantée? Elle désaltérait les faons et les chevrotins, et même, du moins Michel l'affirmait-il bien qu'Hélène n'en eût jamais vu, elle abritait encore dans le creux de ses rives quelques familles de loutres et de castors. De mémoire de Dufour, personne ne s'y était jamais noyé.

,C'était un cours d'eau sans traîtrise, une sorte de bon génie, la providence des bêtes et l'ami des hommes. Pour lui rendre hommage, Michel lui épargnait la souillure de la « drave ». Bientôt, tandis que, d'un bord à l'autre, toutes les autres rivières se hérissaient de monceaux de rondins dévalant vers le lac dans un grondement d'avalanche, ses eaux claires courraient en chantant leur joie de refléter librement la lumière du ciel.

Hélène écarta ses craintes et pensa à ce que son père venait de lui dire. Elle chercha dans quels termes prévenir Michel. C'était difficile. Leur amour ne se cernait pas avec des mots. Il n'avait pas de limites. Il imprégnait leurs actes, leurs gestes, leurs pensées. Mais le définir, c'était y renoncer. Hélène le savait et devinait que Michel penserait comme elle. Il n'existait pas de solution. Or, même incomplet, le bonheur qu'elle trouvait auprès de Michel lui était, pour vivre, aussi nécessaire que l'air qu'elle respirait. Elle redoutait la décision que, contraint par M. Dufour, son ami allait devoir prendre. La mettrait-il en demeure de choisir entre sa famille et lui? Ou bien préférerait-il rompre son association avec la société Dufour afin de s'éloigner d'elle, définitivement?

A la pensée qu'il pourrait la quitter, elle sentit s'irradier en elle une douleur qui lui coupa la respiration. Puis un doute la saisit. S'il partait, ce serait donc qu'elle s'était trompée, qu'il ne l'aimait pas. Elle s'arrêta, éperdue d'angoisse. Non, c'était impossible. Elle ne survivrait pas à ce chagrin. Elle s'efforça de chasser de son esprit la vision de Michel se détournant d'elle. Une longue aspiration apaisa les battements désordonnés de son cœur. Elle

reprit conscience de ce qui l'entourait. Sur la
branche d'un sapin, un merle modulait son
chant d'amour. Au creux d'une touffe de fougères brunies par le gel, bombaient les crosses
vertes des nouvelles pousses. Sur la pente
ensoleillée d'un talus, entre deux plaques de
neige fondante, un bouquet offrait ses corolles
délicatement rosées. L'espoir qui montait de
la terre la pénétrait, allégeant son poids d'in-
certitudes. Elle sourit et se pencha pour cueillir les fleurs nouvellement écloses. En les
reconnaissant, elle arrêta son geste. De la tril-
lée. Une plante qui meurt si on en cueille la
fleur. Hélène se sentait aussi vulnérable que
ces fragiles touffes vertes.

« Moi aussi, je mourrais si mon amour
m'était arraché », soupira-t-elle en se redressant.

Elle enfouit les mains dans ses poches et,
d'un pas vif, repartit vers la grand-route.

*
**

La voiture freina dans un crissement de
pneus. Hélène n'avait pas eu le temps de faire
un signe. Elle guettait une jeep et c'était une
puissante Mustang bleue qui s'arrêtait. De son
côté, surpris de rencontrer la jeune femme à
plusieurs milles de chez elle, Michel ne l'avait
reconnue qu'à la seconde où il la croisait. Il
ouvrit la portière, sauta sur la route et tendit

les deux mains vers Hélène qui avait fait demi-tour et accourait vers lui.

— Quelle imprudence! gronda-t-il, affectueusement bourru. Et si je vous avais manquée?

— Eh bien! vous seriez revenu me chercher, voilà tout, rétorqua-t-elle, un peu vexée qu'il ne fît pas plus de cas de sa prouesse. Cela vous ennuie donc tellement que je trouble votre solitude?

Il eut dans les yeux noirs l'éclair de tendresse qu'elle attendait, puis baisa les mains de la jeune femme avec une sorte de ferveur.

— Montez vite, dit-il. Vous devez être morte de fatigue.

Elle s'installa à l'avant et le regarda intensément pendant qu'il remettait la voiture en route. Quelque chose n'allait pas. Son élan vers elle avait accusé plusieurs secondes de retard. Elle le connaissait trop bien pour ne pas discerner aussitôt le plus subtil changement sur ces traits virils, comme burinés dans un bronze très clair, et qu'elle avait gravés depuis longtemps dans son cœur. Malgré le sourire, malgré l'expression amicale des yeux bruns, elle sentait une réticence. Une lumière déclinante éclairait les plans sans mollesse du visage aimé, le profil net, presque dur, le menton volontaire. Il était nu-tête et le vent avait décoiffé la masse sombre de ses cheveux où brillaient quelques fils d'argent. Elle vit qu'il avait troqué sa tenue habituelle de forestier,

un vieux costume de velours brun avec lequel
il était parti l'avant-veille, contre un complet
de lainage gris, bien coupé, qui épousait sa
haute silhouette de sportif. Elle se retourna.
Sur la banquette arrière, à la place de la parka
qu'il emportait toujours avec lui, il y avait un
pardessus de voyage en poil de chameau.

— Quelle élégance ! railla-t-elle. J'espère que
vous avez tout de même mis dans vos bagages
un costume de coureur des bois et vos culottes
de cheval. Je rêve de longues promenades en
forêt.

— Des promenades... oui, bien sûr, répondit-
il, l'air absent, les yeux obstinément fixés sur
la route.

Il conduisait trop rapidement, insoucieux de
la limitation de vitesse qui régente la circu-
lation sur les routes canadiennes. La peur frémit en elle, non pas la crainte de l'accident, car Hélène était aussi intrépide que
Michel, mais l'angoisse imprécise, douloureuse,
qu'éprouvent ceux qui sentent menacé ce qu'ils
ont de plus cher au monde.

Il freina brusquement et obliqua aussitôt, à
droite, dans une petite route déserte qui suivait le creux d'un vallon. Il rangea sa voiture
sur le bas-côté et arrêta le moteur. Puis il se
tourna vers elle. Son regard était grave.

— Je suis navré, Hélène, mais je ne puis
rester aux Epinettes. Dès demain matin, je
dois partir pour Montréal.

Ses deux mains, longues et fortes, étaient

posées à plat sur le volant. Hélène les vit trembler légèrement. La panique l'étreignit.

— Pour Montréal? Mais... je ne comprends pas... Que se passe-t-il?

— Ma fille arrive de France par l'avion de douze heures cinquante-cinq, dit-il simplement.

Il y eut un silence, le temps que la nouvelle amplifiât ses ondes douloureuses dans l'esprit d'Hélène. La première impression qu'elle put extérioriser fut un sentiment de révolte.

— Pourquoi ne pas m'avoir avertie plus tôt? protesta-t-elle d'une voix dépitée. J'aurais essayé de m'habituer à cette idée. Au lieu de cela, vous me laissez faire des projets, organiser des vacances inespérées, et quand je me suis bien réjouie...

Il l'empêcha de continuer.

— J'ai appris l'arrivée d'Isabelle, tout à l'heure, par une lettre qui m'attendait chez moi, expliqua-t-il avec patience. Je suis aussi déçu que vous pouvez l'être, croyez-moi.

Il passa affectueusement son bras autour des épaules d'Hélène tout en continuant :

— Je m'en suis même voulu d'avoir fait ce crochet par Québec. Si je m'étais rendu directement aux Epinettes, je n'aurais pas su que ma fille avait décidé de venir m'empoisonner l'existence ici. Elle n'aurait trouvé personne en débarquant, personne ensuite à Québec pour la recevoir. Dégoûtée, elle serait peut-être repartie pour d'autres lieux...

Ce fut au tour d'Hélène de l'interrompre.

— Michel! Non seulement ce que vous dites n'a pas de sens, mais c'est indigne de vous.

Il eut un petit rire douloureux et retira son bras.

— Hélène, la moraliste! Oh! allez-y. Vous êtes du bon côté de la barrière et vous avez le droit de prôner les préceptes rigoureux qu'on vous a inculqués depuis votre enfance. Parce que, pour vous, la famille garde tout son sens biblique, il est juste que vous la défendiez. Mais, s'il vous plaît, n'essayez pas de me démontrer que j'ai encore quelque obligation envers la mienne. Je ne vous croirai pas.

Il la regardait et, à son air réprobateur, il comprit que, pour la première fois, elle ne tempérait d'aucune indulgence un jugement à son égard. Il eut mal et, dans une brève crispation de ses traits, la souffrance affleura à son visage.

Attentive, tendue vers lui de toute la force de son amour, Hélène cueillit au vol cette expression de détresse et en fut bouleversée. Un besoin aigu d'en connaître davantage sur la femme et l'enfant qu'il avait quittés douze ans auparavant l'étreignit avec tant de violence qu'elle ne put retenir ses questions à leur sujet. Comme il hésitait à lui répondre, elle insista.

— Je veux savoir, Michel. Il me semble qu'ensuite tout sera plus clair entre nous.

Il comprit ce qu'elle voulait dire et eut de nouveau son rire triste.

— Je devine ce que vous avez pu ressentir,

Hélène. Vous avez pensé autrefois : « c'est un mufle. » Non, ne protestez pas. Vous étiez en droit d'avoir cette opinion sur moi. Eh bien ! pour vous, je vais rouvrir la vieille blessure, vider l'abcès qui n'a jamais cessé de me faire souffrir. Solange, ma femme, n'en parlons pas. C'est un être dépravé, indigne. Avant un an de vie commune, je savais à quoi m'en tenir sur sa conduite et sur ses sentiments à mon égard. Légère, avide et ambitieuse, elle ne m'avait épousé que pour l'aisance que je lui apportais. J'ai patienté parce qu'il y avait l'enfant, cette petite Isabelle que j'adorais. Dans l'existence infernale que Solange, sa mère et ses sœurs me faisaient mener — car toute la tribu Delahaye s'agglutinait autour de moi — Isa était mon rayon de soleil. Je m'y attachais chaque jour davantage et j'avais l'impression que mon affection pour elle était payée de retour. Mais sa mère cherchait par tous les moyens à détruire chez l'enfant ce sentiment qu'elle jalousait âprement. Un jour, lors d'une discussion particulièrement violente — en général, c'était au cours de nos altercations qu'elle m'apprenait haineusement ses graves inconséquences — Solange me dévoila ce que j'avais été trop naïf pour deviner : Isabelle n'était pas ma fille. Les précisions qu'elle me donna firent lever un voile rouge devant mes yeux. A ce moment-là, j'ai compris ceux qui, poussés à bout, abattent leur bourreau. Pour ne pas devenir un criminel, je suis parti...

Il s'interrompit un moment, la main sur les yeux, fouillant sa mémoire.

— Je me souviens- continua-t-il, d'une voix chargée d'amertume, c'était le jour de l'anniversaire d'Isabelle. Nous étions à Paris, ma femme et moi, attendant la petite qui devait arriver de La Jonquière avec sa grand-mère et ses deux tantes. Entre Solange et moi, l'orage avait éclaté, comme toujours, pour de sordides questions d'intérêt. Elle voulait que je lui fisse donation d'une partie de l'héritage qui me revenait de mes parents. Connaissant sa prodigalité, je m'y opposais. Pendant que, toute honte bue, elle me crachait au visage l'infâme vérité, je crispais une main, au fond de ma poche, sur un écrin contenant le cadeau que j'avais acheté pour les huit ans de ma fille : une broche en or gris représentant un caniche. Les yeux étaient deux émeraudes ; les clous du collier, des rubis. Un bijou beaucoup trop coûteux pour une enfant de huit ans, penserez-vous, et vous n'aurez pas tort, mais elle l'avait vu chez Van Cleef, en se rendant chez ce joaillier avec sa mère et, depuis, elle en rêvait jour et nuit. Je vous l'ai dit, j'étais fou d'elle, incapable de résister à ses caprices...

Sa voix se brisa. Hélène laissa passer un silence, puis demanda doucement :

— Ensuite, qu'avez-vous fait ?

Il soupira et continua d'un ton douloureux :

— Bien qu'après notre querelle j'eusse quitté ma femme comme un dément, des idées

de meurtre en tête, je conservai assez de lucidité pour faire porter, le soir même, à mon
appartement, le cadeau d'Isabelle. Le lendemain, je revins chercher la fillette. Même si
elle n'était pas de mon sang, je l'aimais trop
pour la laisser aux mains d'une femme dont
l'amoralité pouvait avoir sur elle les plus dangereuses conséquences. Mais Isa n'était ni à
Paris ni à La Jonquière. Sa grand-mère l'avait
emmenée dans un endroit que je n'ai pu découvrir. Pour ne pas la perdre, j'ai proposé un
marché à sa mère : elle m'accompagnerait avec
Isa au Canada où l'on m'offrait une situation
en rapport avec mes goûts et mes capacités.
Je passais l'éponge sur la conduite de Solange
afin qu'elle et moi nous puissions repartir sur
des bases nouvelles. Si notre ménage tenait
cinq ans, à la fin de ce bail je me dépouillais
en sa faveur des biens qu'elle convoitait. Autre
climat, autres mœurs. J'espérais secrètement
qu'un changement de vie ferait d'elle une autre
femme. Elle m'a ri au nez.

Il sortit un paquet de cigarettes de la boîte
à gants. Une veine battait sur sa tempe et des
rides creusaient son front, mais la main qui
tenait le briquet avait retrouvé sa fermeté. Il
avait parlé sans haine ni colère et si cette
confession l'avait déchiré, il n'en laissait plus
rien paraître.

Hélène était sûre qu'il n'avait pas complètement débridé la plaie. Elle attendit quelques
instants pendant qu'il fumait en silence. Le

soleil avait basculé derrière les monts Lauren-
tiens et si un peu de clarté s'accrochait encore
sur les cimes, une ombre froide envahissait le
vallon où ils s'étaient arrêtés. La jeune femme
se pencha, tourna au maximum le bouton de
chauffage et demanda :

— C'est la première lettre que vous recevez
d'Isabelle ?

— Non. Depuis mon départ, elle m'écrit
tous les ans, au premier janvier.

Hélène se contracta. Pourquoi lui avoir dis-
simulé le lien qu'il avait maintenu avec sa
famille ? C'eût été si simple de lui faire plus
tôt cette confidence.

— Vous ne m'en avez jamais rien dit, ne
put-elle s'empêcher de murmurer sur un ton
de reproche.

Il écrasa sa cigarette dans le cendrier avec
une violence contenue.

— Parce qu'il n'y avait rien à en dire, rétor-
qua-t-il. Je déchirai la lettre aussitôt lue, sans
y répondre. De toute évidence, les termes en
étaient dictés par Solange. Je reconnaissais
son style, la froideur du ton, l'ampleur de ses
exigences... « Notre voisin a fait construire
une piscine dans sa propriété. J'aimerais avoir
la même à La Jonquière, mais il paraît que
nos revenus ne nous permettent pas cette
dépense. Qu'attends-tu pour nous l'offrir ? Ce
n'est pas parce que tu habites un pays de sau-
vages que nous devons nous priver de confort... » Ou comme celle de janvier dernier :

« Mon manteau de fourrure date de deux ans.
Il est démodé ; pourtant, on dit que le vison
est pour rien au Canada... » Des récrimina-
tions, de la hargne.

— Vous ne lui avez jamais écrit ?

— Au début, si. Avant de quitter la France,
je lui ai envoyé une longue lettre pour expliquer mon départ. Je n'accusais pas sa mère,
bien sûr, je lui disais seulement que mon travail m'appelait au Canada et que nous nous
retrouverions bientôt. L'année de mon arrivée ici, je lui ai envoyé régulièrement une
carte chaque semaine et, pour son Noël, expé-
dié tout ce qu'une fillette de huit ans peut désirer. Sa lettre de bonne année était aussi froide
et impersonnelle que si elle s'adressait à un
étranger.

— Peut-être sa mère interceptait-elle tout ce
qui venait de vous ?

— C'est probable. Solange est une créature
de haine et je suppose qu'elle a dû élever sa
fille en lui inculquant ce sentiment. J'ai pensé
qu'en dépit de mes efforts cette enfant s'était
éloignée de moi à tout jamais. Alors j'ai cessé
d'écrire et d'envoyer des cadeaux. Mais cette
déception m'avait si cruellement marqué que,
pendant de longues années, j'étais obligé de
détourner les yeux lorsqu'une fillette me croisait.

Il pivota de trois quarts vers elle et, enfer-
mant dans sa grande main rassurante le fin

poignet de la jeune femme, il ajouta, les traits
brusquement amollis de tendresse :

— Plus tard, lorsque vous êtes revenue
vivre auprès de votre père avec Pierrot, toute
mon affection inemployée, je l'ai reportée
spontanément sur votre petit bonhomme. C'est
un fils que j'ai. Pas une fille.

Leurs regards se prirent et, dans les yeux
bruns, Hélène lut l'aveu qu'elle espérait et
redoutait tout à la fois.

Jamais auparavant, dans leurs tête-à-tête,
elle n'avait laissé l'émotion prendre le pas sur
la raison. A une louange ou un regard trop
appuyés, un geste trop tendre, elle répondait
par un éclat de rire ou une pirouette. « Insai-
sissable comme une eau vive », disait d'elle
Michel, mi-rieur, mi-fâché. Cette fois, elle
n'avait pas envie de rire, encore moins de
s'échapper. Non seulement la confiance que
Michel lui avait témoignée la bouleversait,
mais ses explications avaient effacé les dernières traces des doutes et des soupçons que,
malgré elle, elle avait entretenus à son égard.
Non, elle ne s'était pas trompée sur lui et cette
constatation lui tournait la tête comme un
vin capiteux. Il était bien l'ami attentif et
tendre, loyal et bon, celui qu'elle attendait
depuis son adolescence. Il donnait une
impression de force paisible, mais invincible.
Quel réconfort de s'élancer dans la vie au bras
d'un tel compagnon ! Pourquoi fallait-il qu'un

obstacle irréductible les séparât ? Oh! oui, pourquoi ?

Dans un sursaut de révolte, elle avait prononcé à haute voix ces derniers mots.

— A quoi pensez-vous donc ? demanda doucement Michel.

Il lui avait mis la main sur la nuque et, d'un geste lent mais possessif, la rapprochait de lui.

Elle sentait l'odeur de sa peau, de son haleine, celle du tabac blond qui imprégnait ses vêtements. Elle vit l'éclat de son sourire. Une bouffée de bonheur s'irradia dans tout son être. Et puis, d'un seul coup, le monde bascula, perdit ses dimensions et jusqu'à son existence. Il n'y avait plus que les lèvres de Michel sur les siennes et ce baiser long, exigeant, qu'elle recevait, puis redonnait, maladroitement, mais avec la ferveur d'une offrande.

Michel fut le seul à deviner le danger. Il se reprit à temps et réussit à conserver la maîtrise de ses gestes. Il l'écarta légèrement. La même flamme illuminait leurs yeux.

— Michel! Oh! Michel, que je vous aime! dit-elle avec passion, alors que, de ses deux mains, elle lui caressait tendrement le visage. Je me refuse à croire qu'un amour aussi ardent que le nôtre soit condamné à rester inachevé. Face à face avec la vérité, nous ne pouvons plus la nier. Il nous faut maintenant sortir de cette impasse.

Les traits de Michel se voilèrent d'une

ombre que, tout à son exaltation, Hélène ne
vit pas. Dégrisé, il lui écarta les mains, l'enlaça
et la tint blottie contre lui. La joue sur son
front, il lui dit doucement :

— Vous avez raison, ma chérie. Mais si nous
ne pouvons plus nier l'évidence de notre
amour, nous ne pouvons pas non plus renier
notre foi, ni nous opposer à votre famille.

Elle ne voyait pas l'expression de son visage,
mais l'amertume de sa voix éveilla en elle des
échos douloureux. Refusant le désespoir, elle
répéta d'un ton obstiné :

— Nous trouverons une solution, Michel, il
le faut. Rien ne peut plus nous séparer. Les
principes, la famille, ce ne sont pas des forteresses inexpugnables. Je me sens prête à les
braver pour faire triompher notre amour. Pas
vous ?

Il se pencha et, avant de répondre, l'embrassa sur la tempe, à la naissance de ses
cheveux blonds. Un baiser comme on en donne
aux enfants pour les consoler.

— Oh ! moi, il y a longtemps que je désire
en voir le triomphe, ma chérie. Mais essayez
donc de faire admettre cette vérité-là à votre
père !

Elle se redressa, les yeux brillants.

— Papa ? Mais il est de tout cœur avec nous.
Il sait que nous nous aimons et m'a affirmé
qu'il serait prêt à nous aider à renverser les
obstacles qui s'opposent à notre bonheur.

Après le souper, ce soir, vous irez le trouver et...

Elle s'interrompit, consciente de se griser de mots. Pour son père qui n'admettait pas le divorce, il n'existait aucune solution en dehors de celle qu'il avait suggérée et qui, hélas ! s'avérait irréalisable.

Hélène, pourtant bonne et généreuse, se prit à haïr cette femme que Michel lui avait dépeinte comme une sorte d'incarnation du Mal. Pourquoi Dieu accordait-il la vie à de telles créatures et leur permettait-il ensuite de tout détruire autour d'elles ?

Hélène noya un moment son désespoir dans un tourbillon de pensées homicides. Avec une âpre satisfaction, elle imagina l'accident libérateur...

Michel restait silencieux. Il s'était écarté d'elle et fumait une autre cigarette. Le crépuscule effaçait ses traits. Elle se demanda si leurs pensées suivaient le même cours, puis, le bon sens lui revenant, elle mesura la cruelle vanité des siennes. Ce serait trop simple de n'avoir qu'à souhaiter la disparition des maudits pour les rayer du nombre des vivants. Quant aux catastrophes libératrices, elles ne sont qu'inventions faciles de romanciers. Dans la vie, les intrigues ne se dénouent pas aussi aisément.

Michel émergea enfin de son silence pour objecter qu'une entrevue avec M. Dufour n'apporterait aucune solution à leur problème.

— C'est à nous seuls de décider de notre avenir, ma chérie. Mais nous devons, hélas! patienter encore puisque l'arrivée d'Isabelle nous contraint à une séparation provisoire.

— Qu'allez-vous faire d'elle ?

— La réexpédier en France.

— Elle est peut-être partie sur un coup de tête, fâchée avec les siens ?

— J'en doute. Sa grand-mère lui a, dit-elle, offert le voyage pour son anniversaire. Le ton patelin de sa lettre ne laisse pas de m'inquiéter. Ne va-t-elle pas jusqu'à préciser qu'elle sera heureuse de connaître mes amis et de visiter l'usine de pâte à papier que j'ai créée sur les rives du Saguenay ? Ma femme, qui ignore tout de mes activités ici, ne connaît pas mon adresse à Chicoutimi.

— Vous n'auriez pas correspondu avec un parent ou un ami qui l'aurait renseignée ?

— Non. Je n'ai plus aucune famille et, depuis douze ans, j'ai totalement rompu avec mes relations françaises.

Hélène réfléchissait, essayant de maîtriser le sentiment de désastre qui l'avait étreinte en écoutant Michel résumer la lettre de sa fille. Elle avait l'intuition qu'Isabelle en savait plus long sur Michel que celui-ci ne le supposait. Une menace s'inscrivait entre les lignes. Pourquoi cette allusion à l'usine du Saguenay ? Au cours du dernier hiver, Hélène avait passé à Chicoutimi le plus clair de son temps à réaliser un projet cher à son père: la création d'une pouponnière pour les ouvrières de la fabrique. Michel, qui possédait la majorité des actions de l'usine, mais ne la dirigeait pas, avait pris prétexte de ses fonctions d'administrateur pour rejoindre souvent la jeune femme et l'aider de ses conseils. Un souvenir traversa soudain Hélène comme un trait de lumière.

— Le journaliste! Michel, souvenez-vous de ce chroniqueur que nous avons reçu à Chicoutimi, cet hiver, et qui travaillait à un grand reportage sur les moulins de pâte à papier du Québec. Ses articles ont pu être reproduits dans la presse française et tomber sous les yeux de votre femme.

Elle rougit en se rappelant la faconde de cet Irlandais, familier et expansif, qui prétendait que Michel et elle formaient le plus beau couple qu'il eût jamais rencontré.

— Si vous croyez que ma femme s'intéresse à des reportages de ce genre! ironisa Michel. Du reste, aucun nom ne figurait sur les épreuves qui m'ont été soumises avant la publication des articles.

Une brume montait de la vallée. Hélène fixait d'un air pensif les voiles laiteux que déchiraient des bouquets d'arbres, assombris par le crépuscule. Il lui semblait qu'un danger inconnu resserrait son étau autour d'eux. Un frisson la secoua.

Michel posa une paume rassurante sur ses mains, puis il remit le moteur en marche.

— Cessez de vous tracasser, ma petite

Hélène. Au fond, la manière dont Isabelle a
été informée n'a aucune importance. Ce qui
m'irrite, c'est son arrivée intempestive et cette
façon cavalière qu'elle a de s'introduire dans
ma vie. La pensée d'être éloigné de vous m'est
si pénible, ma chérie, que je vais abréger son
séjour. Rassurez-vous, ajouta-t-il en se forçant
à la plaisanterie. Je réexpédie le colis à
l'envoyeur. En port payé. C'est tout ce qu'elle
mérite.

*

Les événements ne se déroulèrent pourtant
pas comme Michel le prévoyait. M. Dufour en
modifia le programme.

Après le départ d'Hélène, ce dernier avait
reçu un déplaisant coup de téléphone l'infor-
mant que, sur la plus éloignée de ses concessions forestières, draveurs et bûcherons mena-
çaient d'interrompre leur travail. Soudoyés par
une compagnie anglaise, rivale de la société
Dufour, des meneurs avaient fait de ces
hommes paisibles des révoltés. Seul Michel,
qui connaissait bien ses équipes, pouvait cal-
mer les esprits. M. Dufour lui demanda donc
de partir dès l'aube du lendemain pour le
chantier.

Avant de passer à table, au cours d'un entretien qui eut lieu dans le silence feutré de la
bibliothèque, Michel parla de la lettre d'Isa-

belle et confessa au père d'Hélène son douloureux secret.

L'œil le plus perspicace n'eût pu déceler
l'ampleur des remous qui agitaient l'âme du
vieil homme. Aussi longtemps que dura
l'entretien, le visage aux angles secs resta figé
comme un lac durci par le gel. Les yeux rivés
d'une manière presque gênante sur ceux de
Michel ne reflétaient ni blâme ni pitié. Ils
cherchaient seulement la vérité au-delà des
mots.

Michel soutint leur regard sans faiblir.

Le nom d'Hélène ne fut pas prononcé. Pourtant, c'était à elle seule que les deux hommes
pensaient.

Lorsque Michel se tut, M. Dufour crut voir
brasiller dans les yeux bruns une étincelle de
défi. Il dut prendre encore sur lui-même pour
maîtriser le tumulte de son esprit. Deux
volontés égales allaient devoir s'affronter. Deux
volontés qui ne céderaient ni l'une ni l'autre.

Après un silence lourd de pensées non
exprimées, le vieil homme se leva et s'approcha de Michel.

— A chaque jour suffit sa peine, dit-il
comme en écho à leurs propres tourments.
Inutile d'anticiper sur les épreuves que Dieu
nous réserve. Contentons-nous d'envisager
celles qui nous accablent actuellement. Je vais
essayer d'aplanir les difficultés que nous vaut
l'arrivée de votre fille, mais donnez-moi votre

parole que vous ne discuterez aucune de mes décisions à son égard.

— J'aimerais tout de même savoir aupara-vant de quelle manière vous comptez résoudre ce problème, dit Michel avec un rien d'agres-sivité dans la voix.

— Je vous en prie, Michel. Accordez-moi votre confiance.

Le ton n'avait rien de suppliant. Un bref instant, Michel hésita entre la révolte et la soumission. Puis, mû par le respect presque filial qu'il vouait à son associé, il s'inclina.

*
* *

Réunie dans le salon, devant la cheminée où flambait un joyeux feu de bûches, la famille, à laquelle s'était joint le jeune vétérinaire, les attendait pour passer à table. Lorsque les deux hommes firent leur entrée, Hélène, l'esprit ailleurs, bavardait avec Jacques. Elle s'interrompit et regarda avec inquiétude leurs visages soucieux.

Tout de suite, M. Dufour parla du vent de révolte qui soufflait sur ses chantiers fores-tiers juste au moment où la « drave » allait démarrer. Puis, sans attendre les commen-taires, il enchaîna, tout en posant sur l'épaule de Michel une main dont l'étreinte était un appel au silence :

— Je ne m'inquiète pas outre mesure, car

Michel, qui a l'habitude des hommes, saura mettre à la raison les fauteurs de trouble. L'ennui, c'est que cette fâcheuse histoire, en modifiant les projets de notre ami, plonge celui-ci dans l'embarras. Sa fille, Isabelle, arrive demain de France et il comptait lui consacrer le temps qu'il va passer au fin fond de la forêt à jouer les conciliateurs. Aussi ai-je pensé que nous pourrions accueillir ici cette jeune personne de vingt ans.

Il s'adressa plus particulièrement à ses belles-filles.

— Gabrielle ou Marie-Jeanne, faites donc préparer la chambre verte, au bout de l'aile droite. C'est une pièce agréable, ensoleillée, avec une très jolie vue sur le lac. Vous veillerez à la rendre la plus accueillante possible. Quant à vous, mon cher Jacques, ajouta-t-il en se tournant vers le jeune vétérinaire, vous nous obligeriez en acceptant d'aller chercher, demain à midi, la voyageuse à l'aérodrome de Montréal. Après le repas, Michel vous fournira les détails qui vous seront nécessaires pour l'identifier.

Nul ne posa de questions, d'abord parce que la discrétion était une des qualités qu'on cultivait par tradition chez les Dufour, ensuite parce que le visage fermé de Michel aurait découragé le plus curieux des interlocuteurs. Tous ceux qui étaient réunis aux Epinettes savaient que l'ingénieur forestier avait en France une femme dont il s'était séparé douze ans auparavant. Qu'il eût aussi une fille n'avait rien de tellement surprenant.

Pendant que tout le monde se dirigeait vers la pièce contiguë où le couvert était dressé, Marie-Jeanne songeait que cette petite Isabelle serait, aux prochaines vacances, une compagne pour sa fille aînée, Claire, une sage étudiante de dix-neuf ans. Gabrielle surveillait Hélène du coin de l'œil. Elle la trouvait un peu trop pâle et se demandait avec une pointe de malice ce que la jeune femme pensait de cette complication dans sa vie sentimentale. Jacques calculait l'heure de son départ, le lendemain, afin de se réserver assez de temps, avant l'arrivée de l'avion, pour aller choisir, dans un chenil spécialisé des environs de Montréal, le chien de traîneau dont il rêvait. Hélène, anéantie, se demandait ce que son père avait derrière la tête. Michel, soulagé au fond de n'avoir plus à se soucier d'Isabelle, se préoccupait surtout de la tâche qui l'attendait.

Seul, Pierrot ne pensait à rien. Dès l'arrivée de son grand-père, il avait profité de ce que l'attention générale se détournait de lui pour se faufiler dans la salle à manger. Il avait découvert sur la desserte, près d'une pile de galettes encore tièdes, un petit pot de sucre d'érable dans lequel il trempait deux doigts qu'il suçait ensuite avec délices.

IV

Jacques n'eut aucune difficulté à repérer
Isabelle dans le flot des passagers venant
de Paris. La veille, reprenant les termes de la
lettre de sa fille, Michel lui avait précisé que,
pour être facilement identifiable, Isabelle por-
terait un ensemble rouge avec une large cein-
ture noire et, sur ses cheveux, une pointe en
mousseline.

Il l'observait tandis qu'elle parlait à ses
compagnons de voyage, aux employés, attendait ses valises, passait à la douane. Une fille
qui n'avait pas froid aux yeux et rabrouait
volontiers ceux qui ne la servaient pas assez
vite à son gré.

« Une drôle de m'as-tu-vu », se dit Jacques.
Il la suivit alors qu'elle s'engageait dans

l'immense hall de l'aérogare et, jugeant le moment venu de faire plus ample connaissance, il s'approcha d'elle et se présenta en s'inclinant légèrement.

— Jacques Russel. Un ami de votre père. Mademoiselle Delahaye, n'est-ce pas ?

Il avait prononcé « Jâcques », en donnant au « a » toute son ampleur et ce léger accent canadien alluma dans les yeux froids d'Isabelle une étincelle de moquerie qui piqua au vif le jeune vétérinaire. Pendant qu'il expliquait brièvement qu'une mission imprévue retenait Michel loin de chez lui, il se sentait examiné, jaugé par un regard critique et vaguement méprisant. C'était clair que son interlocutrice n'appréciait ni les gros brodequins de chasse ni la veste de daim fourrée qui engonçait sa silhouette.

« Elle me prend pour un péquenot, songeait Jacques, irrité. Et cette péronnelle se juge sans doute très supérieure à un paysan. Bon sang ! elle mérite une leçon. Je vais lui en donner une dont elle se souviendra. »

Il se tut et affecta soudain une attitude embarrassée. Voyant sa gaucherie, Isabelle lui décocha un sourire qui abaissa dédaigneusement le coin de ses lèvres.

— Eh bien ! monsieur Jâcques, dit-elle avec suffisance, tout en parodiant sa prononciation, je pense que vous allez pouvoir me conduire chez mon père. C'est bien pour cela qu'il vous a délégué auprès de moi, non ?

Jacques, qui était un excellent comédien, exagéra sa lourdeur et son accent. Retrouvant sans effort le savoureux parler de ses ancêtres, il lui expliqua que Michel n'était pas chez lui et n'y reviendrait pas avant plusieurs jours.

— ... L'a du trouble avec des bûcherons en révolte ; aussi l'est parti toffer en forêt à matin. Y m'a demandé d'aller vous qu'ri et de vous amener chez des amis qui seront en charge de vous jusqu'à son retour.

Il avait parlé si vite qu'elle ne comprit que la fin de la phrase.

— Quels amis ? demanda-t-elle en fronçant l'arc délié de ses sourcils. Demeurent-ils à Québec ?

— P'en toute. La famille prend une vacance à Saint-Aspais, dans une ferme au milieu des bois.

— Quelle horreur ! Mais je ne suis pas venue au Canada pour m'enterrer à la campagne ! Puisque c'est ainsi, j'attendrai le retour de mon père à Québec ou, mieux, à Montréal. Il reviendra me chercher quand il sera libre.

— Oh ! alors, vous aurez tout le loisir de barauder dans la ville, vous pouvez me croire, car Michel n'aura pas le temps de venir icitte. L'est toujours en devoir. Après son affaire de bûcherons, va contrôler la drave et cela tout près de Saint-Aspais, justement. Sans compter que si vous n'avez pas pris soin de bouquer d'avance une chambre d'hôtel, vous ne trou-

verez pas à vous loger. Pas plus à Montréal
qu'à Québec.

Isabelle commençait à comprendre que le
plus sage était encore de se plier à la volonté
de son père. Après réflexion, elle le fit, mais
avec acrimonie.

— C'est inconcevable, protesta-t-elle. J'avais
écrit suffisamment tôt dans l'espoir qu'il ferait
l'impossible pour se libérer de ses obligations.
Résultat, il n'a pas levé le petit doigt, pas
changé un seul de ses projets. Sa forêt passe
avant moi. C'est gai. Il est devenu aussi rustre
que les bûcherons qu'il fréquente. Puisque
d'après vous les hôtels sont complets, je n'ai
plus qu'à exécuter ses consignes, n'est-ce pas ?

— Correct, approuva Jacques, plus bref.
Fafiner ne servant à rien, y a pas d'autre solu-
tion que de vous laisser charrier jusqu'à Saint-
Aspais.

Il la trouvait de plus en plus antipathique.
Le ton qu'elle employait pour parler de son
père choquait Jacques qui attachait le plus
grand prix au respect filial. Pourtant, Michel
n'était pas vraiment son ami. Tout en estimant
l'ingénieur forestier, Jacques lui en voulait
secrètement d'avoir pris le cœur d'Hélène. Ils
se connaissaient depuis trois ans, depuis le
jour où Jacques s'était installé comme vétérinaire près de Saint-Aspais, mais leur attitude
réciproque ne facilitait pas entre eux les confidences.

Aux yeux de Jacques, la situation familiale

de Michel restait nébuleuse. Peut-être le Français avait-il des torts envers les siens ? En tout cas, ce n'était pas à Isabelle de juger son père et surtout, se disait-il, qu'elle s'abstienne donc d'émettre sur lui des opinions aussi absurdes que venimeuses !

Après s'être emparé de sa lourde valise, Jacques avait saisi Isabelle par le bras et la guidait à travers la foule des voyageurs, très dense à cette heure-là. Lorsqu'ils furent sortis de l'aérogare, elle se dégagea d'un geste brusque. Il parut déconcerté et s'arrêta pour lui demander d'un air timide :

— J'y songe, vous avez faim, peut-être. Alors, si vous ne me trouvez pas trop achalant, on pourrait ben dîner tous les deux quelque part ?

Elle gloussa d'un air moqueur.

— A une heure de l'après-midi ? Ce n'est pas parce qu'en ce moment, en France, il est l'heure de dîner que je dois en faire autant à Montréal. J'ai déjeuné dans l'avion et mis ma montre à l'heure de votre pays. Pour qui me prenez-vous ?

Il eut envie de lui répondre : « Pour une bêcheuse mal éduquée. » Mais il s'amusait trop pour arrêter le jeu. Avec une confusion admirablement feinte, il lui expliqua qu'au Canada on dîne le midi et soupe le soir.

Ils se remirent en route en silence. Isabelle, qui marchait près de lui, l'observait à la dérobée.

« Dommage qu'il soit si peu dégrossi, pensait-elle. Physiquement, il n'est pas déplaisant.
Blond, hâlé, une carrure d'athlète et des yeux
d'un bleu de gentiane. Un Viking, quoi ! Un
don Juan pour filles de ferme. Que peut-il bien
faire dans la vie ? Traire les vaches ? »

Elle le regarda plus attentivement. Une sorte
de décalage jetait la confusion dans son esprit.
Il lui semblait que, lorsque le jeune homme
s'était présenté, il lui avait paru moins gauche,
avec un accent moins prononcé.

« ... Si, pourtant, se reprit-elle. Il a dit
« Jâcques » comme un paysan de Norman-
die. »

Le voyant changer sa valise de main, elle
proposa spontanément :

— Elle est si lourde que, si vous le préférez,
je puis vous attendre ici avec les bagages
pendant que vous irez chercher votre voiture ?

« Tiens, tiens, se dit-il, agréablement surpris, serait-elle moins dure qu'elle ne le
paraît ? »

Leurs regards se croisèrent. Le sourire de
Jacques fit étinceler ses dents. Il retrouva son
vrai visage, malicieux, intelligent. Isabelle
remarqua la fossette verticale qui coupait son
menton, les lèvres pleines, bien dessinées. Elle
pensa au baiser que Philippe lui avait volé et,
immédiatement, une lueur de mépris fulgura
dans ses yeux clairs. Jacques saisit celle-ci au
vol et en fut aussitôt rembruni.

— J'ai parqué mon char à quelques minutes

DE FIEL ET DE MIEL

d'icitte, dit-il en exagérant son accent. Rassurez-vous, on est presquement arrivé.

Il affectait un air un peu niais. De nouveau,
elle fut sensible à la transformation.

« C'est impossible, songea-t-elle, il se fait
plus stupide qu'il n'est. »

Puis, dans un éblouissement, elle crut deviner la vérité.

« Seigneur ! il est amoureux de moi. Le coup
de foudre. Voilà pourquoi il a l'air d'un
benêt. »

Cette constatation lui ouvrit d'agréables
perspectives. Sûre de son pouvoir, elle se dit
qu'il lui serait facile d'exploiter à son profit
les tendres sentiments de ce godichon de paysan. En l'encourageant de temps en temps
d'un sourire ou d'une parole aimable, elle
obtiendrait de lui ce qu'elle voudrait. Auparavant, il lui fallait le situer sur le plan social.

— Que faites-vous dans la vie ? demanda-
t-elle, alors qu'ils abordaient le parc automobile où Jacques avait rangé sa voiture.

— Vous voulez savoir dans quelle ligne je
suis ? dit-il d'un air finaud. Eh ben ! j'soigne
les bêtes.

Elle ne put retenir un soupir de dépit. Si
encore il avait été un riche exploitant ou une
manière de gentleman farmer... Mais un valet
de ferme !

Le breack Chevrolet ne la surprit pas. Elle
arrivait au Canada avec des opinions bien personnelles sur les signes extérieurs de richesse.

Une grosse voiture ne prouvait rien dans ce pays où le modeste employé promène sa famille en Buick ou en Plymouth. Et puis, cette voiture appartenait peut-être aux amis de son père, à ces cultivateurs chargés de l'héberger. Elle n'osa pas quêter de précisions à ce sujet.

Alors que Jacques lui ouvrait la portière, elle eut un geste de recul. Assis à l'avant, un chien noir et blanc, à la belle fourrure ondulée, gros comme un saint-bernard, tendait le mufle dans sa direction.

— Voici Chum, dit Jacques. L'est point féroce. Mais si vous avez du trouble avec lui, souinez-lui une tite claque et il vous laissera tranquille. Vous aimez les chiens ?

— Je n'ai jamais eu l'occasion de me poser la question, dit Isabelle, impressionnée par la taille de l'animal. En tout cas, il me semble que je les préfère plus petits.

— Tu entends, Chum ? Isabelle n'aime pas les chiens de traîneau. Allez, décolle-toé de d'là et vitement !

Le tirant d'une main, le poussant de l'autre, il obligea l'animal à se coucher sur la banquette arrière. Puis il se retourna, apparemment confus, vers la jeune fille.

— Ça ne vous achale pas que je dise simplement « Isabelle » ?

Elle accepta d'un sourire condescendant et s'installa, à demi rassurée, près de lui. Pendant qu'il manœuvrait adroitement pour dégager sa voiture, elle demanda, tout en jetant des regards furtifs par-dessus son épaule :

— Il vous appartient, ce chien ?

— Oui, depuis tout à l'heure. C'est lui qui m'a choisi. S'est évaché à mes pieds, dans le chenil, d'un air de dire : « Je t'attendais. Emmène-moi. » Impossible de résister à son appel. Tout de suite, on a été copains. Pas vrai, Chum ?

Le chien s'était dressé. Il posa sa tête sur l'épaule du jeune homme. Tout en conduisant, Jacques lui gratta le crâne à la naissance des oreilles, puis l'écarta vers sa passagère.

— Donne un p'tit bec à Isabelle. Faut que vous soyez amis, tous les deux.

Elle sentit baver dans son cou la gueule froide de l'animal, mais la terreur l'emportant sur le dégoût, elle n'osait pas faire un mouvement. Jacques eut pitié d'elle et renvoya Chum à l'arrière.

Furieuse de savoir qu'il avait deviné sa peur, Isabelle ruminait des pensées vengeresses. Si ce valet s'imaginait qu'elle allait tolérer longtemps ses balourdises ! Il sifflotait, apparemment heureux d'être en sa compagnie.

La tête obstinément tournée vers la vitre de sa portière, elle s'enferma dans un silence méprisant.

Bientôt, le spectacle de Montréal absorba toute son attention : gratte-ciel de verre et d'acier, magasins géants, boutiques de luxe, flux et reflux d'une foule grouillant dans des rues démesurément longues... Eblouie par cette ville à l'échelle américaine, Isabelle regrettait amèrement d'avoir cédé à la volonté de son père. Quelle idée avait-il eue de l'expédier au fin fond de la campagne, alors qu'elle aurait pu attendre son arrivée dans cette cité étourdissante ! Son hostilité contre lui s'en trouva renforcée.

Comme s'il devinait une partie de ses pensées, Jacques précisa doucement :

— Montréal n'est qu'un des multiples visages du Canada. Vous allez en connaître d'autres, au moins aussi attachants que celui-là. On se lasse vite du vacarme et des joies factices des grandes villes.

Toute à sa rancœur, elle ne s'aperçut pas qu'il avait parlé presque sans accent. Se retournant d'une pièce vers lui, elle riposta, agressive :

— Qu'en savez-vous ? Moi, je ne me lasse jamais des villes et je préfère cent fois la vie trépidante qu'on y mène au morne exil au fond d'un bled...

Dans une intention blessante, elle ajouta :

— Sans compter que les gens qu'on croise à Montréal sont sûrement plus évolués que ceux chez qui vous me conduisez. D'abord, où est située leur ferme ?

Reprenant son accent traînant, Jacques répondit d'un ton placide que, n'ayant pas de carte, il ne pouvait faire le point, mais que la ferme des Epinettes se trouvant loin au nord de Québec, ils allaient devoir rouler pendant quatre ou cinq heures pour l'atteindre.

Elle ne dit rien. Sa bouche n'était plus qu'un trait mince.

Aux arrêts des feux rouges, Jacques l'examinait sans qu'elle s'en doutât.

« Quels secrets dissimule-t-elle derrière son petit front buté ? se demandait-il. N'a-t-elle accompli ce long voyage que pour revoir un père qu'elle ne semble pas porter dans son cœur ? Bizarre ! »

Il ne réussissait pas à la situer. Pour lui, elle n'était faite que de contrastes. Sa juvénile beauté : visage rond, teint frais et yeux d'un bleu brillant, était gâchée par une expression obstinée, presque impitoyable. Elle avait croisé ses jambes fines sans se soucier de sa jupe qui les découvrait beaucoup trop haut.

« A la fois provocante et farouche, remarquait Jacques. Une curieuse fille ! »

La pensée qu'elle n'était peut-être qu'une gamine malheureuse, traumatisée par la séparation de ses parents, l'effleura. Mais il la repoussa aussitôt de peur de s'attendrir.

Depuis qu'il avait compris qu'Hélène était perdue pour lui, Jacques s'était enfermé dans un cocon d'indifférence où il avait trouvé sa paix. Son métier, ses livres, ses chiens, ses sports préférés : ski et équitation, quelques escapades à Québec ou à Montréal, ces multiples activités meublaient une vie qu'il proté-

geait de toute complication sentimentale. Il
pensa à Chum et oublia Isabelle.

Ce fut elle qui, la première, rompit le silence.
Puisque Jacques était l'ami de son père, il
allait pouvoir la renseigner. Connaissait-il
l'usine de pâte à papier que Michel avait créée
à Chicoutimi ?

Jacques secoua négativement la tête. La
question l'avait étonné. Jamais il n'aurait
pensé que cette futile enfant pût s'intéresser
aux activités industrielles de son père.

Déçue, Isabelle insista :

— Il a pourtant dû vous en parler. Etes-vous
son ami, oui ou non ?

— Oui et non. Nous nous voyons assez peu,
Michel et moi.

Isabelle aborda alors le sujet qui lui tenait
à cœur :

— Vous connaissez son associé ?

— Très bien.

— Comment s'appelle-t-il ?

— M. Dufour.

— Il a une fille, n'est-ce pas ?

La voiture filait maintenant sur l'autoroute,
en direction de Québec. Jacques prit son
temps pour répondre. La curiosité d'Isabelle
ouvrait dans son esprit un vaste champ de
méditations. Il commençait à entrevoir les
raisons du voyage de cette jeune personne.
Michel avait-il parlé à sa fille de la femme qu'il
aimait ? Isabelle voulait-elle seulement connaître celle-ci ? Venait-elle de son propre chef

ou poussée par sa mère ? En amie ou en ennemie ? A voir ce visage fermé, ces yeux durs,
Jacques opta pour la seconde hypothèse.

Isabelle s'impatientait.

— Je vous ai demandé si l'associé de papa
avait une fille.

Il tourna vers elle un visage parfaitement
stupide.

— L'en a quatre.

Elle se dit que la conversation avec cet être
obtus devenait vraiment pénible. Pourtant,
elle ne put s'empêcher d'insister :

— L'une de ces quatre filles s'appelle
Hélène et est veuve, non ?

Jacques sembla assimiler le renseignement
avec difficulté.

— Ma foi, dit-il après un silence, vous le
demanderez vous-même à M. Dufour puisque
aussi ben c'est chez lui que je vous conduis.

Isabelle en resta coite. Un fermier, l'associé
de son père ? Pendant un long moment, elle
s'employa à réviser l'opinion qu'elle s'était
faite sur cet inconnu. D'avance, elle l'avait
imaginé sous l'aspect d'un de ces dynamiques
milliardaires, dont la réussite fabuleuse lui
était habituellement contée par ses magazines
préférés. La fille d'un tel homme ne pouvait
être que semblable à ces beautés américaines
qu'elle avait souvent admirées en couleur sur
grand écran.

Eh bien ! elle s'était trompée. Son père
n'avait même pas su s'associer à un moderne

brasseur d'affaires. Un paysan, voilà ce qu'il
était devenu et il ne pouvait, évidemment, que
s'entourer de gens à son image. Quant à la
belle Hélène... Isabelle la voyait maintenant
avec des joues rouges et des attaches de fer-
mière. Une fille à faire seulement tourner la
tête des gars de son village.

Elle demanda, en observant son compagnon
du coin de l'œil :

— Décrivez-moi cette Hélène puisque vous
la connaissez. Est-elle jolie ?

— Mieux que jolie, dit Jacques spontanément. Elle est belle au-dehors comme au-
dedans.

Puis ses traits se figèrent et il sembla à Isabelle qu'il avait un peu pâli.

« Je l'aurais parié, jubila-t-elle intérieure-
ment. Lui aussi est attiré par cette Cérès. Et
le voilà tout chaviré par l'évocation de sa
belle. Le valet amoureux d'une déesse ! A mou-
rir de rire ! Et ça ne l'empêche pas de lorgner
mes genoux et de bégayer d'émotion en me
parlant. Que les hommes sont bêtes ! »

Bercée par le doux ronronnement du
moteur, elle ferma les yeux et s'efforça de
mettre au point un plan de bataille.

« Jacques, papa... des pions sur un échiquier.
Roi d'ivoire, roi d'ébène. Le premier conduira
le second là où il n'y aura plus pour lui ni
fuite ni défense. La trahison se paie cher...
Echec et mat, mon cher papa ! »

**
*

Lorsqu'elle s'éveilla, elle ne releva pas tout
de suite les paupières. Bien que le cauchemar
qui, depuis plusieurs mois, accompagnait
presque toujours son sommeil, continuât de
l'angoisser. elle s'accrochait aux dernières
images, consciente maintenant de leur irréa-
lité. C'étaient toujours les mêmes : une ville
morte, des rues et des maisons désertes, des
fenêtres noires, lugubres comme des orbites
vides. Et cette horrible impression de solitude.
Elle aurait voulu fuir, mais ses jambes étaient
de plomb. Au paroxysme de l'épouvante, elle
voyait un gouffre s'ouvrir sous elle et y tom-
bait comme une pierre. Sa chute et son anéan-
tissement s'accompagnaient en général d'un
grondement de fin du monde.

Comme le bruit persistait, elle ouvrit les
yeux et recouvra aussitôt le sens du réel.
L'objet du vacarme était un camion citerne
qui montait péniblement une côte devant eux.
Ils avaient quitté l'autoroute et roulaient maintenant sur une voie plus étroite au milieu
d'une forêt. Isabelle s'aperçut qu'elle était
emmitouflée jusqu'au menton dans une chaude
couverture écossaise et qu'une main précau-
tionneuse avait légèrement basculé son dossier
pour lui permettre de mieux reposer.

Elle tourna la tête et se heurta presque au
museau de Chum. Assis derrière Jacques, sur

le plancher de la voiture, le chien semblait veiller sur elle. Isabelle allongea le bras pour le caresser. Ses craintes s'étaient envolées. Son cauchemar lui avait laissé une telle terreur de la solitude que toute présence lui était un réconfort. Chum émit un petit jappement d'aise et, par un baiser mouillé sur le nez d'Isabelle, scella avec elle un pacte d'amitié. Elle se sentit tout attendrie et dans d'inhabituelles dispositions à la bienveillance. Elle se redressa, repoussa la couverture et regarda autour d'elle.

Jacques doublait le camion. Des collines bleutées masquaient l'horizon. A perte de vue, noire sur le ciel gris, la forêt. Dans les fossés et la broussaille des sous-bois, les traces du doigt gelé de l'hiver.

— Seigneur ! s'exclama-t-elle, horrifiée. Mais c'est de la neige que j'aperçois. Où m'emmenez-vous ? Dans le grand Nord ?

Jacques éclata de rire.

— A peine dans « le petit ». Nous ne sommes qu'à quelques milles de Québec. J'aurais aimé vous montrer cette ville qu'aucun gratte-ciel n'a encore abîmée, mais vous dormiez si profondément que je n'ai pas osé vous réveiller.

Isabelle, qui se sentait l'âme en accord avec la tristesse du paysage, oublia derechef ses bonnes dispositions. Hostile de nouveau, elle remarqua :

— C'est bien vrai que le printemps n'existe

pas dans votre maudit pays. En France, il y
a longtemps que les arbres ont leurs feuilles.
Ici, ma parole, on se croirait presque à Noël.
J'ai déjà retardé ma montre. Faudra-t-il qu'au
mois de mai je remette mes pantalons de ski ?

Jacques ne releva pas l'intention blessante
et se contenta de demander :

— Vous aimez le ski ?

— J'aime les sports d'hiver. Il y a une
nuance.

Sourcils hauts, il tourna vers elle un regard
interrogateur.

— Naturellement, vous ne comprenez pas,
dit-elle avec impatience. C'est pourtant simple.
Ce qui me plaît dans les sports d'hiver, c'est
l'atmosphère : les boîtes où l'on danse, les
chalets de bois, les feux dans la cheminée, une
certaine camaraderie... Je trouve ça terrible.
Le ski, j'en fais, bien sûr, pour ne pas avoir
l'air d'une gourde, mais dire que j'aime glisser
sur la neige avec des planches aux pieds, ce
serait mentir.

— Dommage.

— Quoi ?

— Oui, dommage que la saison en soit passée. Je vous aurais appris à l'aimer, moi, le
ski. Et même la traîne-sauvage.

— La traîne-sauvage ? Vous vous moquez
de moi ?

— P'en toute. Dans vot' pays qu'est point
en retard, on dit peut-être un traîneau ?

Elle haussa les épaules en maugréant :

— Si seulement vous parliez français !

— Nous autres, Canayens... commença Jacques que l'agacement de la jeune fille amusait.

Mais il la vit si renfrognée qu'il n'insista pas et, dès lors, le reste du voyage se poursuivit dans un silence hostile.

V

Ils arrivèrent aux Epinettes sous une pluie
fine qui noyait le paysage. Tandis que la voiture contournait la pelouse, Isabelle enveloppait la ferme d'un regard critique. C'était bien
là le genre de maison qu'elle attendait. Plus
vaste peut-être que la majorité de celles qu'elle
avait vues dans les villages au bord de la
route, mais à coup sûr rustique et dépourvue
d'agréments. Elle ne remarqua ni les amusantes lucarnes du haut toit de bardeaux, ni la
belle porte sculptée, avec son heurtoir de
cuivre, mais, en revanche, elle nota avec
mépris l'étroitesse des fenêtres et l'absence de
balcons.

Lorsque la voiture s'arrêta au bas des trois
marches du perron, la porte s'ouvrit et

M. Dufour s'avança sous le porche, une expression amicale animant son regard.

— Soyez la bienvenue chez moi, dit-il à Isabelle en lui tendant les deux mains. N'êtes-vous pas trop fatiguée par ce long voyage ? Je regrette que ce soit sous un ciel gris que vous fassiez connaissance avec notre belle région. Lac et forêt sont tellement plus accueillants sous le soleil !

Surprise, Isabelle répondit machinalement à son salut. Elle pensait rencontrer un fermier au parler traînant et c'était un seigneur au langage châtié qui lui faisait les honneurs de sa maison. Sous le regard pénétrant qui l'observait, elle sentait fondre son arrogance et même, pour la première fois de sa vie, éprouvait quelque chose qui ressemblait fort à de la timidité. Avec son long visage au teint d'ivoire, M. Dufour évoquait pour elle les personnages chers aux peintres de la Renaissance. Isabelle l'imagina en pourpoint et haut-de-chausses, avec une fraise autour du cou, et, secrètement amusée, retrouva un peu d'assurance.

Elle pénétra dans le vestibule. Une agréable tiédeur lui enveloppa les épaules. Elle s'arrêta, subjuguée par le luxe qu'elle découvrait.

Sur les dalles de pierre blanche, deux longs coffres sculptés, se faisant vis-à-vis, luisaient doucement dans la pénombre. Des doubles portes ouvertes laissaient voir, en enfilade, un grand salon et un boudoir où meubles anciens, tapis, tentures et bibelots s'harmonisaient avec un goût très sûr.

— Mais on ne se croirait pas dans une ferme ! s'exclama Isabelle.

Aussitôt, elle s'aperçut de la stupidité de sa réflexion. N'avait-elle pas froissé son hôte ? Tout insensible qu'elle était, elle ne voulait pas blesser ce vieillard qui l'accueillait avec une courtoisie de gentilhomme. En outre, elle pensait que son propre intérêt exigeait qu'elle s'en fît un ami.

Il n'avait peut-être pas entendu sa réflexion en tout cas, il n'y fit aucune allusion et dit simplement :

— Je vais vous faire conduire à votre chambre ; ainsi vous aurez tout le temps de vous reposer avant le souper. Prenez des forces, ajouta-t-il en souriant, car, à ce moment-là, je vous infligerai le supplice des présentations aux autres membres de la maisonnée. Tout le monde est parti depuis ce matin pour Québec. Vous auriez pu vous rencontrer.

Il se tourna vers Jacques qui semblait vouloir rester dans le hall et l'invita à entrer.

— Je suppose que vous avez fait, tous deux, amplement connaissance pendant le voyage. Le trajet s'est-il déroulé sans incidents ?

— Rien à signaler, dit Jacques. Chum et Isabelle ont presque tout de suite sympathisé.

— Chum ?

— Un chien de traîneau que j'ai acheté à

Montréal. Un mélange d'au moins trois races
où domine le saint-bernard. Si vous le permet-
tez, je vais faire un saut chez moi afin de vous
débarrasser de cet hôte quelque peu encom-
brant.

M. Dufour s'y opposa, arguant que Jacques
se devait de présenter sa nouvelle acquisition
à toute la famille.

— Très bien, acquiesça le jeune homme en
riant. Chum soupera donc avec nous. Mais, je
vous préviens, ce n'est pas un chien de salon.
Il tient de la place et Louise ne le verra peut-
être pas d'un bon œil sur ses tapis. N'est-ce
pas, Louise ?

Appelée par M. Dufour, la domestique était
apparue par une porte située au fond du hall.
Jacques lui tendit sa veste fourrée, en même
temps qu'il lui décochait un clin d'œil malicieux.

Le visage de Louise exprimait une réprobation nuancée de respect.

— Monsieur Jacques veut plaisanter, dit-elle,
sans préciser ce qu'elle considérait, elle,
comme une plaisanterie.

Eberluée, Isabelle regardait fixement Jacques. Qu'était devenu le benêt qu'elle croyait
avoir troublé ? Le paysan qui s'exprimait dans
une langue archaïque ? Il n'avait rien d'un
valet, cet homme aux gestes aisés, à l'élo-
quence facile, élégant dans son costume de
tweed bien coupé. M. Dufour le traitait en
ami ; la servante avait pour lui tous les égards.

Alors que le maître de maison retournait sous le porche pour regarder le chien de plus près, Jacques s'approcha d'elle.

— Fermez donc la bouche, charmante enfant, murmura-t-il. Vous avez l'air d'une carpe sortie de l'eau.

Elle ferma la bouche et lui lança un regard qui eût dû le faire entrer sous terre.

— Splendide, votre acquisition, mon cher Jacques, disait M. Dufour qui revenait.

Et à Isabelle encore ébaubie, mais qu'une froide colère envahissait :

— Voilà un animal qui ne pouvait trouver meilleur maître. Votre compagnon de voyage est non seulement le plus habile vétérinaire de la région, mais il est aussi un grand ami des bêtes. Il a dû vous parler du daim qu'il a apprivoisé et de l'écureuil qui vient manger dans sa main, non ?

Un peu en arrière de M. Dufour, ledit compagnon, apparemment satisfait de sa mystification, souriait d'un air moqueur. Isabelle aurait eu plaisir à le battre.

— Il l'a peut-être fait, dit-elle en réprimant difficilement sa fureur, mais je n'ai pas compris tout ce qu'il me disait.

— Tiens, et pourquoi donc ?

Sourcils levés, M. Dufour posait sur elle un regard plein d'indulgence.

— Peut-être le paysage absorbait-il complètement votre attention ? suggéra-t-il.

Elle s'apprêtait à lancer rageusement la

vérité, mais Jacques lui coupa net son effet.

— Isabelle a somnolé pendant une grande partie du trajet, expliqua-t-il.

Dans un éclair de bon sens, elle comprit qu'il lui avait sauvé la mise. Elle n'avait pas le beau rôle et en était consciente. S'il s'était gaussé d'elle, c'était en réponse à son dédain. L'affaire se réglerait plus tard entre eux. Inutile de faire intervenir un tiers, avait dû penser Jacques. Elle était de son avis, surtout que ce tiers, même si apparemment il avait blâmé son ami, lui eût aussitôt retiré, à elle, toute son estime.

Le coup d'œil qu'échangèrent les deux jeunes gens était celui de deux combattants avant un duel.

— Louise, ordonnait M. Dufour en se tournant vers la domestique qui attendait dans le hall, conduisez notre invitée à sa chambre. Reposez-vous, Isabelle. Ma fille vous préviendra lorsque le souper sera servi. Cela vous laisse le temps de vous détendre et de ranger vos affaires.

Lorsqu'ils se retrouvèrent seuls, M. Dufour tourna vers Jacques un regard soucieux.

— Que pensez-vous de cette petite, cher ami ? Vous a-t-elle confié la raison de son voyage ?

— Il est difficile de se faire une opinion sur elle. C'est une fille qui ne se livre guère. En tout cas, j'ai l'impression que l'amour filial ne l'étouffe pas et si elle a décidé brusquement de

venir voir son père, c'est peut-être par curiosité ou par besoin de changer d'air, mais ce
n'est sûrement pas dans un élan d'affection.
Elle doit être imperméable à ce genre de sentiment.

— Qui sait ? objecta M. Dufour après un
silence. Sa froideur n'est peut-être qu'appa-
rente. Il arrive à certains êtres de ne plus
savoir comment faire face aux difficultés et je
ne serais pas étonné qu'Isabelle soit venue
chercher auprès de Michel un conseil ou un
appui. Une enfant sevrée de tendresse paternelle est à la merci de la moindre tempête,
exactement comme une plante privée de
tuteur.

Jacques ne répondit rien. A son avis, Isabelle était une plante suffisamment vigoureuse
pour se passer de tuteur. Mais ce n'était pas à
lui de jeter le doute dans l'esprit du vieil
homme. Celui-ci découvrirait bien assez tôt la
véritable nature de son invitée.

*
**

Cependant, M. Dufour ne découvrit rien du
tout.

Isabelle était bien trop fine pour abattre ses
cartes d'emblée et aller droit au but qu'elle
s'était fixé. Son escarmouche avec Jacques
l'avait rendue prudente. Elle avait affaire à
forte partie. Ses adversaires lui apparaissaient
maintenant beaucoup plus coriaces qu'elle ne

l'avait cru et ceux qui pourraient devenir ses amis plus difficiles à manier qu'elle ne se l'était imaginé. Restait son père. Pour elle, Michel représentait l'inconnue du problème. Comment allait-il accueillir cette fille dont il ne se souciait plus depuis douze ans ?

Pendant qu'elle suivait Louise à travers la maison, Isabelle, qui réfléchissait vite, se dit qu'il lui manifesterait sûrement des sentiments inspirés de ceux que ses hôtes pourraient avoir pour elle. Si elle voulait saccager les plans de Michel, elle devait d'abord faire sa conquête. Et la meilleure façon d'y parvenir était de commencer par faire celle des Dufour.

Louise fut la première séduite. Après avoir aidé la jeune fille à s'installer, elle retrouva les autres domestiques à la cuisine où ils prolongeaient l'heure du thé en commentant les événements. Elle leur fit part de ses impressions :

— Tout ce qu'on peut s'inventionner quand on ne connaît pas les gens ! Elle est ben fine (1), cette petite. Pas une cenne (2) de fierté. Du sérieux. Et puis, elle qui nous arrive du vieux pays où, à ce qu'on dit, les traditions se perdent, eh ben ! elle aime gros ses parents. Vous pouvez me craire. La première chose qu'elle a faite en ouvrant sa valise, ç'a été de sortir une photo de sa mère dans un beau cadre de velours rouge qu'elle a dressé sur le petit bureau de noyer, entre les deux fenêtres.

(1) Gentille.
(2) Sou.

Et il fallait voir les yeux qu'elle avait pour la regarder!

— Quoi c'est qu'elle a dit de son père? demanda Céline en pétrissant d'une main vigoureuse la pâte d'une brioche.

Louise secoua la tête d'un air réprobateur.

— L'a eu tout le temps de s'en languir. Douze ans qu'elle l'a point vu et qu'elle en est encore à attendre une carte de lui.

L'aigreur du ton fit redresser la tête des domestiques. La fille de Louise, Lucie, une robuste femme de trente ans, qui avait été élevée avec les enfants Dufour, exprima à haute voix la pensée de chacun:

— Qu'est-ce qu'il t'arrive, maman? D'habitude, tu ne taris pas d'éloges sur M. Michel. Sa fille se pare peut-être de vertus imaginaires pour mieux tromper son monde, alors que M. Michel, au moins, depuis le temps qu'on le connaît, il en a fait la preuve, lui, de ses qualités.

— C'est vrai, ça, renchérit Thomas, le mari de Céline, en lissant d'un doigt expert son épaisse moustache. Le Français, y a pas meilleur cœur d'homme dans tout le Québec.

— Possible, dit froidement Louise, mais maintenant que je connais certaines choses, je peux pas m'empêcher de penser que c'est un grand malheur que notre Hélène se soye amourachée de ce cœur d'homme-là.

Un silence plein de tristesse suivit ses paroles.

*
**

Isabelle n'avait nulle envie de se reposer. Après avoir, avec l'aide de Louise, défait ses bagages et rangé ses affaires, elle écrivit une longue lettre qu'elle adressa à La Jonquière, où les Delahaye avaient pris leurs quartiers d'été. Elle raconta son voyage et sa déception de n'avoir pas encore vu son père. Parce qu'elle restait mortifiée par la leçon que lui avait infligée Jacques, elle fut très peu loquace à son sujet et ne mentionna que brièvement son existence. En revanche, elle se complut à décrire la ferme des Epinettes et plus particulièrement sa chambre :

« ... Une grande pièce d'angle, au bout de l'aile droite, avec deux ouvertures à petits carreaux au sud et deux à l'est. Pas des fenêtres comme à La Jonquière, mais des trucs idiots, à guillotine, qui vous retombent sur le cou quand on veut les ouvrir. Et pour faire bonne mesure, les châssis sont doubles, si bien que si, par miracle, on arrive à fixer le premier, c'est le second qui vous assomme. La servante m'a dit que les fenêtres du sud donnaient sur le lac. C'est possible, mais, aujourd'hui, le paysage disparaît sous une grisaille de pluie et tout ce que j'aperçois, c'est une pelouse jaunâtre qui commence devant la façade et va se perdre dans le brouillard. A l'est, j'entrevois un vaste pré bordé par une masse sombre qui doit être la forêt.

« Lugubre !

« Heureusement que l'intérieur vaut mieux que l'extérieur. Bien qu'elle soit située sous le toit, ma chambre est à peine mansardée. Une toile de Jouy à personnages bistres couvre les murs et le lit. Un piqué vert uni habille fenêtres et fauteuils. Par terre, une épaisse moquette vert tilleul. Le style ? Un Louis XVI rustique qui ne manque pas d'allure. La salle de bains a une classe du tonnerre : des fleurs émaillées sur les murs. Une coiffeuse juponnée de gaze blanche comme une mariée.

« Dans toute la maison, tenez-vous bien, on respire un air conditionné. En outre, comble de raffinement, demain, si j'en ai envie, je pourrai commencer ma journée par une séance de natation. Dans une piscine. Oui, mes très chères, dans une vraie piscine qui occupe la moitié du rez-de-chaussée de cette aile-ci. Terrible, non ?

« Dans ma prochaine lettre, je vous conterai la suite de mes découvertes.

« A toutes, un p'tit bec. C'est un baiser en français canadien. Du moins dans le français que parlent les gens de la campagne et ceux qui se croient très malins de les imiter.

« ISA. »

Elle cacheta l'enveloppe, incrivit l'adresse

de La Jonquière, puis considéra pensivement la cigarette qu'elle venait de poser sur le bord du cendrier et qui achevait de se consumer. Elle l'écrasa d'un geste sec, les yeux fixés maintenant sur la photographie de sa mère. Ensuite, elle rouvrit son buvard de voyage, déchira une feuille du bloc de correspondance et entreprit de rédiger une seconde lettre.

Cette fois, elle laissa déborder l'amertume de son cœur :

« ... Me voici dans la place, maman chérie, et je n'attends plus que l'arrivée des adversaires. Le hasard a bien fait les choses puisqu'il m'a conduite, sans que je l'aie cherché, dans le repaire de l'ennemie. D'elle et de papa, je ne sais encore rien de plus qu'en partant. La première est à Québec pour la journée, le second au cœur de la forêt. L'attitude de papa à mon égard confirme ce que tu m'as toujours dit : que les arbres comptaient davantage pour lui que sa fille et, en ce qui te concernait, que votre union aurait peut-être tenu si tu avais accepté de vivre avec lui en sauvage au fond d'un bois.

« Je n'ai rien oublié.

« Je vais te venger, maman, de toutes ces années de misère morale, de cette quête d'un impossible bonheur à laquelle tu t'es livrée depuis le départ de ton mari. Oh! maintenant, je peux bien te l'avouer, j'ai deviné beaucoup de choses. Et ce que je ne saisissais pas, de

bonnes âmes m'aidaient à le comprendre...
« Ta mère par-ci, ta mère par-là... » Je t'ai toujours défendue contre les médisances, quelquefois même à coups de griffes. C'est pour
cela que, petit à petit, je me suis éloignée de
mes amies, leur préférant la compagnie de
copains sans cervelle, mais qui, eux, se
moquent éperdument des conventions bour-
geoises.

« Je suis fière d'avoir hérité de toi un mépris
sans faiblesse pour les hommes. Tiens, un souvenir me revient qui m'a toujours troublée. A
l'époque, je pouvais avoir douze ou treize ans.
Je revenais du lycée et tu étais seule, sur la
terrasse qui prolonge le salon de notre appartement d'Auteuil. Appuyée contre le garde-fou,
tu fumais une cigarette en regardant les
arbres du bois de Boulogne qui commençaient
à rougir. Quand je me suis approchée de toi,
tu m'as montré ton poignet gauche où scintil-
lait un merveilleux bracelet en platine, serti de
brillants.

« — Regarde ce que ton oncle Freddy vient
de m'offrir.

« Oncle » Freddy ? Je ne l'aimais pas davantage que tous ces autres « oncles » empres-
sés qui gravitaient autour de toi et dont la
parenté avec nous avait perdu, à mes yeux,
depuis quelque temps, beaucoup de son mys-
tère.

« Tu as ajouté en riant :

« — Quel imbécile ! Non, mais quel imbé-

cile ! Qu'il se ruine donc si ça l'amuse, après
tout ! S'il croit m'attendrir, il se trompe et
même je crois bien que je le méprise davantage
encore depuis qu'il m'a fait ce cadeau.

« Comment pouvait-on détester à ce point
un ami qui vous offrait un si coûteux bijou et
qui, de surcroît, courait à la ruine pour vos
beaux yeux ? J'étais dépassée, incrédule, et je
me souviens de t'avoir demandé aussitôt si
papa t'avait fait autrefois des présents aussi
somptueux. Dans mon esprit, s'il l'avait fait,
cela aurait peut-être expliqué la haine que tu
lui vouais.

« Tout de suite, tu t'es rembrunie.

« — Ne me parle plus de lui, veux-tu ? J'ai
assez souffert par sa faute. Un homme plus
pingre qu'Harpagon. Plus pingre, oui, si c'est
possible. Le roi des avares, tu entends ?

« — Oui, maman, ne crie pas, je t'en supplie.

« Donc, on pouvait aussi bien haïr un
homme parce qu'il vous comblait de cadeaux
que parce qu'il vous les refusait. J'ai longuement réfléchi là-dessus. Puis je me suis dit que
le plus sage était encore de n'accorder aux
hommes aucune espèce d'importance. De la
sorte, on devait pouvoir atteindre à une insen-
sibilité qui vous mettait à l'abri des souf-
frances qu'ils se plaisent à vous infliger.

« Jusqu'à présent, cette ligne de conduite
ne m'a pas trop mal réussi...

« Revenons à nos moutons. La famille

Dufour arrive. Par la fenêtre, j'aperçois une voiture qui contourne la pelouse. Une américaine à vous couper le souffle... En descendent : d'abord un grand type maigre aux longues jambes, un fils Dufour, probablement, car c'est la réplique du vieux monsieur avec trente ans de moins, puis une petite boulotte, encore jeune, en manteau de vison, sûrement sa femme... Tiens, un gamin. Sept ou huit ans. Du type « affreux Jojo », car, sitôt descendu, il court vers les flaques et y saute à pieds joints pour s'éclabousser. Les portières arrière s'ouvrent. Une femme sort, brune, mince, habillée d'un ensemble vert. Une allure du tonnerre. Et des réflexes. Pas commode, la dame. Avant que le manteau de vison ait bougé, elle a foncé sur le gamin et l'a propulsé d'une bourrade dans la maison. Si c'est elle, la belle Hélène, j'ai l'impression qu'elle ne me sautera pas au cou en me voyant... Une autre passagère s'extirpe, des paquets plein les bras. Ensemble bleu très élégant. Je vois mal ses traits, mais elle a de la race. Grande, blonde, avec un chignon et une façon de porter haut la tête qui en imposerait à la reine d'Angleterre. Tout le monde s'engouffre sous le porche...

« La suite des événements à plus tard, maman chérie... »

Isabelle remit la feuille à l'intérieur du bloc et rangea celui-ci dans le tiroir central du bureau. Elle fourra la clé dans son sac après

avoir vérifié qu'aucune autre ne pouvait ouvrir
ce même tiroir.

Puis, en fredonnant, elle passa dans la salle
de bains afin de s'habiller pour le dîner.

La fenêtre de cette pièce donnait à l'est, sur
le pré. En soulevant le rideau de tulle, Isabelle
aperçut un cavalier au petit trot. Elle reconnut
Jacques. Chum courait derrière le cheval. Un
moment, elle admira l'aisance du jeune
homme, si souple en selle qu'il donnait l'impression de faire corps avec sa monture. Il
était nu-tête et, quand il passa sous la fenêtre,
elle vit que la pluie lustrait sa veste de cuir
brun et la robe alezane de son cheval. Bête et
homme semblaient coulés dans le même
bronze. Elle fut sensible à la beauté plastique
qui se dégageait du groupe.

« Emotion purement artistique, conclut-elle
en laissant retomber le rideau, après que le
trio eut disparu dans la brume. Heureusement
pour moi, je suis une cérébrale. C'est ce qui
fait ma force... Sois tranquille, maman chérie,
je ne me laisserai jamais attendrir par un
homme, fût-il le plus séduisant des cavaliers. »

Lorsqu'on frappa à sa porte, Isabelle était
prête. Ses cheveux bruns brillaient à force
d'avoir été brossés. Devinant que le genre garçon manqué était déplacé chez les Dufour, elle
avait assoupli sa coiffure et ramené ses mèches

courtes sur ses oreilles. Un très léger maquillage avivait l'éclat de ses yeux bleus. Sa robe en jersey outremer révélait le galbe agressif de sa poitrine, mais descendait sagement jusqu'aux genoux. Une broche en pierres précieuses retenait le drapé du buste.

Dès son entrée dans la chambre, ce furent certains détails qui sautèrent d'abord aux yeux d'Hélène. Sur le bureau, à côté d'un cendrier débordant de bouts de cigarettes, la photographie d'une femme aux lèvres minces et aux yeux si clairs qu'ils en paraissaient vides. Puis la broche qu'elle reconnaissait comme si elle l'eût déjà vue auparavant. C'était bien là le bijou que Michel lui avait décrit : un caniche en or gris, aux yeux d'émeraudes, au collier clouté de rubis.

Ensuite, elle regarda Isabelle. Refoulant ses préventions, elle se présenta et prodigua à son invitée d'aimables souhaits de bienvenue. A la grande surprise d'Hélène, Isabelle répondit par des paroles dont l'aménité ne le cédait en rien à celle de son interlocutrice. Elles échangèrent quelques propos sans importance, puis Hélène demanda à la jeune fille si quelqu'un avait eu l'idée de lui faire visiter la maison.

— Non, dit Isabelle. Je suppose que votre père et Louise avaient d'autres occupations plus urgentes que celle-là.

— Voulez-vous que je vous serve de guide ? proposa Hélène. Il reste un bon quart d'heure avant que la cloche n'appelle tout le monde à table. La maison est si vaste que, demain, vous risquez de ne pas vous y reconnaître. Commençons par les combles puisque nous y sommes. Ceux-ci, qui ont été aménagés il y a une vingtaine d'années, abritent une suite de petits appartements disposés d'une façon telle qu'ils donnent une impression d'indépendance à ceux qui les occupent.

Un sourire figé sur le visage, Isabelle écoutait d'une oreille distraite les explications d'Hélène. Elle était satisfaite que, des deux femmes entrevues par la fenêtre, l'adversaire à éliminer fût la blonde plutôt que la brune. L'autre avait sûrement de la défense alors que celle-ci, Isabelle en avait l'intuition, savait mieux obéir à son cœur que se servir de sa tête. Elle examinait d'un regard acéré Hélène qui la précédait dans la partie du couloir rétrécie par l'escalier descendant à la piscine. La jeune femme se mouvait avec une grâce particulière. Elle donnait l'impression d'être plus grande qu'Isabelle alors que, celle-ci le remarqua, elles étaient de la même taille. Mais le corps d'Hélène semblait un élan vers le ciel. Isabelle lui envia son cou parfait, sa démarche aisée, l'or de ses cheveux, son profil de camée et même les taches de rousseur qui marquaient le visage un peu trop sérieux d'une amusante touche juvénile. Férocement, elle chercha le défaut physique.

« Dans quelques années, elle fera bien de surveiller sa ligne », se dit-elle.

Et cette constatation l'ayant satisfaite, elle put de nouveau être aimable et complimenta Hélène sur sa robe de lainage blanc.

L'esprit ailleurs, Hélène répondit qu'Isabelle n'avait rien à lui envier sur le chapitre de l'élégance et pouvait rendre des points à toutes les femmes des Epinettes. Sa robe en jersey était un miracle de bon goût et le clip de chez Van Cleef, qui en retenait le drapé, une petite merveille.

Isabelle s'étonna en portant la main à sa broche.

— Comment avez-vous deviné son origine ?

Elles arrivaient au seuil de l'appartement d'Hélène. La porte en était ouverte. D'un geste, Hélène invita Isabelle à entrer.

— Je n'ai rien deviné du tout. Il se trouve que votre père m'a parlé de ce bijou.

— C'est impossible. Mon père ignore que je le possède.

Sa voix avait durci et si ses lèvres se crispaient encore sur une ombre de sourire, dans son regard passaient maintenant des lueurs hostiles.

Hélène sentit s'envoler son désir de conciliation et continua sans s'émouvoir :

— Ce petit caniche en or gris, c'est lui-même qui vous l'a offert. Il vous l'a envoyé le jour de vos huit ans.

Isabelle retrouva son visage de haine.

— C'est faux. J'ai choisi ce bijou avec maman et c'est elle qui me l'a donné. Papa, lui,

n'aurait jamais eu un geste aussi géné-
reux...

— Vous vous trompez, l'interrompit Hélène
sans élever la voix, mais d'un ton assez ferme
pour s'imposer. C'est un cadeau de votre père.
Il l'avait acheté pour vous, parce que vous en
aviez une envie folle, et il vous l'a envoyé pour
vos huit ans, le jour où, pour des raisons qui
ne nous regardent ni l'une ni l'autre, il a été
contraint de s'expatrier seul.

Le ton était si persuasif qu'un bref instant
l'incertitude troubla le regard bleu d'Isabelle.
Mais, presque aussitôt, elle se révolta.

— Il vous a raconté ce qu'il a voulu, arran-
geant la vérité pour se composer un masque
de bon père de famille. Croyez-moi ou non, je
m'en moque. Cependant, je vous jure que
depuis son expatriation, que je qualifie, moi,
de fuite devant ses responsabilités, il n'a
jamais donné signe de vie, ni à maman ni à
moi. Cette broche, je vous le répète, je l'ai
choisie et obtenue après son départ.

— Alors comment expliquez-vous que votre
père en connaisse la provenance et ait pu
me la décrire avec tant de précision ?

L'air farouche, les joues empourprées de
colère, Isabelle resta coite, visiblement désem-
parée.

Hélène ressentit pour elle une vague pitié.
La question qui lui brûlait la langue : « Pourquoi êtes-vous venue retrouver un père pour
lequel vous nourrissez des sentiments aussi

hostiles ? », elle ne la posa pas et se contenta
de dire d'une voix apaisante :

— Allons, Isabelle, ne pensez-vous pas qu'il
serait plus opportun de continuer notre promenade à travers la maison, plutôt que de discuter sur la pointe... d'une broche ?

Isabelle mit un certain temps avant de
répondre. Elle s'en voulait d'avoir cédé à la
colère et laissé deviner un peu de cette malveillance tapie en elle comme une bête sauvage. Mais, aussi, pourquoi cette femme l'avait-
elle provoquée ? Elle le savait mieux que personne que c'était sa mère qui lui avait offert
le caniche en or gris... Hélène défendant
Michel ! La belle paire !

Elle réussit à se dominer et acquiesça en
ébauchant un vague sourire. Elle entra dans le
boudoir d'Hélène. Ses yeux firent le tour de la
pièce. Tout de suite, elle vit le portrait. Au-
dessus du lit recouvert de chintz, entre des
médaillons romantiques de fleurs sèches, une
gouache représentait le visage de Michel, mais
un visage où l'artiste avait souligné l'origina-
lité des traits : le front très haut, creusé aux
tempes, le menton sans faiblesse, les rides
douloureuses encadrant la bouche. L'inégalité
des sourcils, le droit plus haut que le gauche,
lui conférait un air inquisiteur, tandis que les
yeux sombres rayonnaient de bonté et d'intel-
ligence.

Le portrait était ressemblant. Et, pourtant,
Isabelle ne reconnut pas son père. Elle n'avait

conservé de lui qu'un souvenir assez flou, qu'aucune image n'était venue préciser, car sa mère avait détruit toutes les photographies où il apparaissait.

Isabelle, qui avait un assez joli talent de dessinatrice, s'approcha du tableau qu'elle examina d'un œil connaisseur. Après en avoir déchiffré la signature, elle se tourna vers Hélène.

— Félicitations ! dit-elle, sincère. Vous avez de la patte.

Elle découvrit d'autres gouaches près de la fenêtre. Un enfant, cette fois. Sur les tablettes formées par les retombées de l'arceau séparant le boudoir de la chambre, il y avait des photographies d'amateur, en vrac, dans deux cadres de cuir. Isabelle repéra l'homme et l'enfant des portraits, ensemble, sur un voilier.

— Votre mari et votre fils, probablement ? demanda-t-elle.

Hélène répondit par une question :

— Vous vous souvenez de votre père ?

— Naturellement, riposta Isabelle.

Un brusque soupçon la rendant de nouveau agressive, elle ajouta :

— Pourquoi me demandez-vous cela ?

— Parce que je crains fort que vous ayez oublié ses traits, dit doucement Hélène. A moins qu'il n'ait tellement changé que vous ne le reconnaissiez plus. C'est lui, ici, là et là, ajouta-t-elle en désignant portrait et photographies.

Et, pour tenir la bride à l'imagination d'Isabelle, elle précisa:

— L'enfant près de la voile, c'est mon fils, Pierre. Pierre Beaucourt. Vous le verrez tout à l'heure.

Le regard d'Isabelle refit le tour de la pièce, s'arrêtant longuement sur les images désignées par Hélène. Puis, tournant vers sa compagne un visage durci, elle remarqua perfidement:

— Si je comprends bien, vous avez totalement accaparé mon père.

— Michel et moi sommes de grands amis, rectifia Hélène d'un ton net. Il vaut mieux que vous l'appreniez tout de suite, Isabelle, et que vous sachiez en même temps que les sentiments que nous éprouvons l'un pour l'autre sont indéfectibles.

Isabelle releva le menton.

« Indéfectibles? C'est ce que nous verrons », exprimait son regard.

Hélène comprit le défi et l'accepta avec une tranquille assurance.

— Je crois que nous devrions nous presser si nous ne voulons pas être en retard pour le souper, dit-elle simplement.

Ce fut M. Dufour qui présenta la jeune fille à Gabrielle et à Marie-Jeanne. Voulant se faire de ces deux femmes des alliées, Isabelle répon-

dit à leurs souhaits de bienvenue par des
paroles aimables qui lui attirèrent les sympa-
thies.

Refoulant colère et ressentiment, elle se com-
posa un nouveau visage. Elle avait l'impression
de se dédoubler, de se regarder agir de l'extérieur. Gestes, attitudes, paroles, étaient comme
orchestrés par son double. Un double soucieux
avant tout de l'effet produit, mais qui, à l'occasion, ne lui ménageait pas les compliments.
C'est ainsi qu'il lui vota des félicitations pour
la piété qu'elle réussit à afficher pendant la
prière précédant le repas, alors qu'au comble
de la stupeur elle avait l'impression d'être
échouée sur une autre planète.

Jacques, qui observait avec attention son air
angélique, se demandait s'il n'avait pas porté
sur elle un jugement un peu trop hâtif.

Pressée de questions par Gabrielle et Marie-
Jeanne, elle parla de Paris, des pièces qui s'y
jouaient, des écrivains en vogue, de la mode.
Elle le fit avec une gentillesse souriante, sans
chercher à éblouir ses hôtes.

« Le ton est juste, disait son double, mais
attention à ce que tu dis. Tu seras plus esti-
mée en parlant d'un concert classique qu'en
vantant les chansons de tes yéyés. »

Dûment chapitrée par le même conseilleur,
qui l'obligea à prêter une oreille complaisante
aux histoires du gamin, elle promit à Pierrot
de l'accompagner, le lendemain, le long de la
rivière aux loutres.

— Isabelle ? Une fille rudement « peppy »,
confia-t-il à Louise avant de se coucher.

Ce même soir, lorsqu'ils furent seuls dans
leur chambre, Paul dit à sa femme :

— Comment un type bien, comme Michel,
peut-il avoir abandonné si longtemps une fille
aussi délicieuse que cette petite Isabelle ?

Il n'y avait qu'avec M. Dufour que la jeune
fille retrouvait une certaine spontanéité. Cet
homme, dont la froideur n'excluait pas à son
égard une grande bienveillance, lui en imposait
au point qu'elle n'avait pas à se forcer pour se
montrer avec lui déférente et amicalement pré-
venante.

« Michel n'aurait-il pas exagéré les torts de
sa femme ? se demandait le vieil homme en
fixant un regard pensif sur le front serein
d'Isabelle. Cette enfant est charmante et ne me
donne pas l'impression d'avoir été élevée dans
un milieu détestable. »

Seule, Hélène ne se faisait aucune illusion
sur les vertus d'Isabelle.

VI

— Tu ne peux pas savoir comme je suis heureuse, Isa. Avec toi, c'est comme si un reflet de Paris était venu jusqu'à nous, de ce Paris qui nous fascine tous, moi plus que les autres, car je suis la seule de la famille à ne pas connaître la France.

— La seule ?

— Oh! naturellement, je parle des adultes. Mes sœurs, mes cousins, qui sont beaucoup plus jeunes que moi, ont bien le temps de traverser l'Océan. Moi, je rêve de Paris. Tantes, oncles, parents et grands-parents ont tous séjourné plus ou moins longtemps en France. Tante Gabrielle, qui est la fille d'un attaché d'ambassade, y a même vécu toute sa jeunesse.

Le plus drôle, c'est que, sans se connaître, ton père et elle habitaient le même quartier et étaient inscrits aux mêmes clubs sportifs. Ils évoquent souvent ce temps-là, bien que, de toute évidence, ça ne plaise guère à tante Hélène.

Isabelle affecta un air d'ingénuité.

— Ah! oui ? Et pourquoi donc ?

Sa compagne baissa la tête, brusquement gênée.

— Je dis ça... Je me trompe peut-être. Hélène est assez exclusive dans ses amitiés. Or, ton père et elle... c'est difficile à expliquer, mais ils s'aiment beaucoup, tu comprends. Enfin, bref, pour faire enrager Gabrielle, ton père prétend que non seulement il devait la battre au tennis, mais que c'était sûrement elle la fille dont il tirait les nattes à la sortie du lycée. Tordant, non ?

L'œil vague, Isabelle se contenta de sourire.

Claire et elle étaient assises, après leur bain, au bord de la piscine, une serviette sur les épaules, jambes pendantes au-dessus de l'eau. Un flacon de laque irisée était posé entre elles.

Par trois fenêtres donnant à l'est, le soleil inondait les murs, le sol et le bassin carrelés de bleu.

Mains en l'air et doigts écartés, Isabelle attendait que Claire eût fini à son tour de se vernir les ongles. Elle la regardait passer avec soin le pinceau sur le contour des lunules. Une

petite personne ordonnée qui devait apporter
à tout ce qu'elle faisait la même application
méticuleuse. Deux semaines auparavant, elle
eût fui comme la peste ce genre de fille.
D'abord, un dépit, né d'un sentiment d'infé-
riorité, la faisait s'écarter des étudiantes, des
vraies, de celles qui se donnent corps et âme à
leur travail. Ensuite, Claire était issue de ce
monde de traditions et de rigueur morale
auquel Isabelle se targuait d'avoir échappé.
D'avance, elle s'était dit qu'aucune affinité
n'existerait entre elle et la fille de Marie-
Jeanne. Mais lorsque Claire était arrivée, Isabelle avait senti fondre ses préventions. Un
courant de sympathie, irrésistible comme une
marée montante, l'avait portée vers cette
blonde et frêle jeune fille, dont le visage aigu,
aux grands yeux noisette, rayonnait de joie de
vivre.

Isabelle n'avait connu jusqu'alors que de
jeunes blasés qui trompaient leur ennui dans
une bruyante et inutile agitation, ou masquaient le vide de leur esprit par des phrases
creuses, en ratiocinant à perte de vue sur de
fumeuses théories. Claire, elle, jouissait d'un
parfait équilibre et ignorait le désenchantement. Mais peut-être par timidité, peut-être
aussi parce qu'ayant reçu en partage le don
inné de la joie, elle avait su faire de sa vie
quotidienne une suite de petits bonheurs, elle
s'était peu à peu repliée sur elle-même et
n'avait pas d'amis. Paradoxalement, dans son

genre et pour d'autres raisons, elle était aussi solitaire qu'Isabelle.

Dès le début, chacune des deux jeunes filles eut l'intuition de la solitude de l'autre et comme, sans en être conscientes, toutes deux aspiraient à en sortir, elles trouvèrent d'instinct un terrain d'entente. Même elles se découvrirent bientôt une foule de passions communes, allant de l'amour des chevaux et du crawl à celui des feux de bois et de la guitare. Isabelle, qui en oubliait de s'observer du dehors, sentait germer en elle un sentiment proche de l'amitié.

— Ce qui me plaît en toi, dit-elle en observant Claire qui laquait soigneusement l'ongle de son pouce gauche, c'est que tu sembles te passer fort bien des garçons.

Le pinceau marqua un temps d'arrêt, le temps pour Claire de regarder sa compagne avec étonnement.

— Que veux-tu dire ?

— Depuis que nous bavardons ensemble, pas une seule fois tu n'as fait allusion à un flirt. Alors que la plupart des filles ne songent qu'à raconter leurs amours vraies ou imaginaires, toi, tu passes les tiennes sous silence, comme si elles n'avaient aucune espèce d'intérêt.

— Conclusion, tu t'imagines que je n'ai pas confiance en toi, dit vivement Claire. C'est un reproche que je peux te retourner.

— Je ne te reproche rien, au contraire. J'ai toujours trouvé fastidieux ce genre de conversation et casse-pieds les filles qui s'y complaisent.

— Moi, dit Claire, je les trouverais plutôt marrantes avec leurs illusions cent fois détruites et cent fois retrouvées. C'est toujours la même chanson. Mais si je ne t'ai rien dit sur ce sujet-là, c'est que je n'ai encore rien à en dire.

— Pourquoi « encore » ? C'est une restriction. Tu espères donc être mordue un jour ou l'autre, toi aussi ?

Claire ouvrit tout grands les yeux et dévisagea sa camarade avec stupeur.

— Mais, Isa, c'est tout naturel. Un jour ou l'autre, comme tu dis, j'espère bien tomber assez amoureuse d'un homme pour vouloir engager ma vie avec lui. Se marier, avoir des enfants, c'est un idéal auquel une jeune fille peut rêver, non ?

— Non, dit sèchement Isabelle. En tout cas, cet idéal-là n'est pas le mien. Des hommes, je n'ai jamais vu que les défauts. Il ne me viendrait pas à l'idée d'aliéner ma liberté pour un seul d'entre eux.

Claire secoua la tête, une expression moqueuse dans ses yeux dorés.

— Tu dis ça parce que tu n'as pas encore rencontré l'élu. Moi non plus, du reste, mais je sais de quelle espèce d'homme je pourrais tomber amoureuse...

Elle s'interrompit, le regard rêveur. Puis, haussant les épaules, elle continua:

— J'avoue que les garçons de notre génération sont plutôt décevants. Avec eux, il faut constamment se tenir sur ses gardes. Dès qu'ils se mettent à penser à vous...

— Ils le font avec leurs mains, continua Isabelle.

Elles rirent aux éclats. Isabelle reprit le pinceau et étala une seconde couche sur ses ongles.

Claire agitait les doigts pour les faire sécher plus vite.

— Attention au flacon, prévint-elle. Je l'ai emprunté à Hélène qui m'a fait à son sujet une foule de recommandations. Je crois que c'est un cadeau qui vient en droite ligne de Paris.

Iabelle l'éleva à la hauteur de ses yeux pour en regarder l'étiquette. La lueur méchante de ses prunelles échappa à Claire car, à ce même instant, Pierrot, qui venait d'entrer, fonça vers les deux jeunes filles en rugissant:

— Hou! Qu'est-ce que vous faites, les mains en l'air? Vous jouez aux marionnettes?

Une bourrade entre les épaules et Claire piqua du nez dans l'eau, suivie de près par Isabelle. Mais celle-ci, dans la brève seconde précédant son plongeon, avait pris le temps de jeter le flacon sur le dallage où il se brisa.

Claire émergea aussitôt, écartant de ses yeux de longues mèches ruisselantes. Elle aperçut le désastre et Pierrot, tout sot, à côté.

— Maudit mioche ! lui cria-t-elle. Tu es plus stupide que la plus bête des bourriques... Regarde ce que tu as fait. Ta mère va sûrement te féliciter. C'est à elle, ce vernis.

— Je... je comprends pas, balbutiait l'enfant, désemparé. J'ai pas touché au flacon.

Toute joie l'avait déserté et sa bouche tremblait.

Eternuant et crachant, Isabelle émergeait à son tour. De ses deux mains, elle essuya son visage. Puis, levant la tête, elle croisa le regard du petit, fixé sur elle.

Le désespoir qui noyait les yeux de l'enfant la laissa froide. Pierrot était le fils d'Hélène et elle détestait le fils autant que la mère. Mais elle lut autre chose que de la détresse dans les yeux verts qui la dévisageaient. Avec sa logique d'enfant, Pierrot l'accusait. C'était clair qu'il ne la dénoncerait pas. Mais c'était tout aussi clair qu'elle allait perdre en lui un précieux allié. Se dédoublant aussitôt, elle prononça les paroles que seule sa raison lui dictait :

— Ne bouge pas, tu pourrais marcher sur les éclats de verre, et n'aie aucune crainte. Comme c'est moi qui l'ai cassé, ce flacon, je m'arrangerai tout à l'heure avec ta mère.

La pensée d'une altercation avec Hélène

n'étant pas pour lui déplaire, elle adressa au petit un sourire rassurant, puis, après avoir rattrapé les deux serviettes qui flottaient, elle se hissa sur le rebord de la piscine.

*
* *

— Que tu es bonne, Isa, d'avoir pris à ton compte la sottise du gamin, lui dit Claire, un peu plus tard, alors qu'elles sortaient dans le soleil.

Le temps était idéal pour une promenade à cheval. Isabelle devant rester aux Epinettes, l'après-midi, pour attendre son père, Jacques avait proposé aux deux jeunes filles de les emmener en forêt avant le déjeuner. Elles étaient vêtues de vieux pantalons beiges en velours côtelé et de polos décolorés par le soleil et les lessives. Isabelle portait des vêtements appartenant à Gabrielle, la seule de la famille à avoir exactement la même taille qu'elle. Dans la collection de bottes, que deux générations de Dufour avaient plus ou moins usées, les deux amies avaient choisi une paire à leur pointure.

— C'est du tonnerre! avait dit joyeusement Isabelle en se regardant devant la glace du hall. Si les filles de mon club me voyaient!

Jusqu'à ce jour, l'équitation, pour elle, c'était avant tout une rivalité d'élégance avec

les autres snobs du cercle où elle était ins-
crite.

— Ici, lui avait dit Jacques avec son sourire
moqueur, le costume compte moins que la
façon de se tenir en selle.

Les Dufour, sans exception, aimaient et com-
prenaient les chevaux et tous étaient d'intré-
pides cavaliers. Jacques et Michel partageaient
la même passion.

Les deux jeunes filles se hâtaient d'aller
rejoindre Jacques qui les attendait dans les
écuries situées derrière la maison.

— Moi, continua Claire, j'avoue que je
n'aurais pas fait preuve d'autant d'indulgence
à l'égard de Pierrot. C'est un sale mioche, particulièrement insupportable quand Michel n'est
pas là.

Elle s'interrompit, brusquement gênée, et
coula un regard inquiet vers sa camarade.

— Continue, dit Isabelle.

— Pardonne-moi, Isa. Chez nous, tout le
monde, même Pierrot, appelle ton père par son
prénom.

— Et alors ? Ça ne me gêne pas. Au contraire. Tout à l'heure, quand il arrivera, je
l'appellerai Michel, moi aussi. Depuis si longtemps qu'il n'est plus mon père.

L'amertume du ton attrista Claire. Ayant
toujours vécu au sein d'une famille unie, la
jeune fille n'imaginait pas quels pouvaient être
la vie et les sentiments d'Isabelle. Elle se

posait à ce sujet une foule de questions qu'elle
n'osait formuler, tant était grande sa peur de
blesser sa nouvelle amie. Comment et pourquoi les parents d'Isabelle s'étaient-ils sépa-
rés ? Y avait-il eu un drame dont leur fille gardait le souvenir ?

Longtemps, elle avait cru que Michel était
veuf. Des bribes de conversation, surprises
entre Gabrielle et Hélène, lui avaient, un jour,
fait comprendre que Michel n'était pas libre.
En général, elle considérait avec détachement
tout ce qui concernait la génération précé-
dente. Mais, comme il s'agissait d'Hélène, sa
tante préférée, elle avait été particulièrement
attentive. A ses yeux, Hélène, Michel et maintenant Isabelle étaient les personnages d'un
drame qui ne pouvait avoir de dénouement
heureux. Mais si elle était incapable de rien
faire pour le bonheur des deux premiers, du
moins avait-elle la faculté d'aider Isabelle. A
plusieurs reprises, elle avait remarqué que les
yeux bleus, très beaux, de son amie, prenaient
soudain une expression hagarde comme s'ils
n'accommodaient plus. Elle en avait conclu
que quelque vision angoissante devait traverser à ce moment l'esprit d'Isabelle et elle
souhaitait pouvoir délivrer celle-ci de son douloureux secret.

« D'abord, se dit-elle, je dois effacer la
fausse image qu'elle s'est faite de son père. »

Elle prit affectueusement sa compagne par
le bras.

— Je devine ce que tu ressens, Isa. Si j'étais restée douze ans sans voir papa, des tas de suppositions me trotteraient par la cervelle. Mais, crois-moi, je ne lui en voudrais pas de m'avoir laissée sans nouvelles.

— Vraiment ? ironisa Isabelle.

— Non, parce que je saurais avec certitude que, s'il n'a pas donné signe de vie, c'est pour des raisons qui m'échappent et qui n'ont rien à voir avec l'indifférence. Or, écoute-moi bien, Isa. Ton père et le mien sont de la même argile. L'un comme l'autre, incapables de reniement, d'abandon ou même d'oubli. « Michel est un type bien », dit toujours papa. Et, dans sa bouche, le compliment a de la valeur.

La voix était nette et si convaincante que, malgré elle, Isabelle sentit sa haine perdre de la virulence. Pour masquer son désarroi, elle adopta le persiflage :

— Michel, Michel... Tu prononces son nom avec des majuscules. En serais-tu amoureuse, toi aussi ? Comme Hélène, comme Gabrielle ?

Ce dernier nom lancé à tout hasard. Pour voir. Aucune réaction. Isabelle en tira les conclusions qui s'imposaient.

— Je n'aime pas Michel d'amour, rectifia la véridique Claire, mais c'est exact que je l'admire. C'est un homme, un vrai, avec une présence et une densité que n'ont pas les jeunes gens de notre génération. Tout à l'heure, quand je te parlais de l'être idéal que j'espère rencontrer un jour, c'était à lui que je pensais. Naturellement, je le vois plus jeune,

Heureuse de trouver une diversion, Isabelle s'étonna :

— Comme on peut se tromper ! Quand tu m'as dit, d'un air rêveur, que tu savais de quel type d'homme tu pourrais tomber amoureuse, tu ne sais pas à qui j'ai pensé ?

— Ma foi, non.

— A Jacques Russel.

— Il est beau garçon, sympathique, concéda Claire, et intelligent, ce qui ne gâte rien. Mais il n'est pas mon genre et, moi, je ne suis pas le sien. Ça règle la question.

— Comment le sais-tu ?

— Je sais quoi ?

— Que tu n'es pas son genre.

Claire ne répondit pas tout de suite. Elles arrivaient près des écuries et apercevaient le jeune vétérinaire dans le box de Bagatelle, l'une des deux juments prêtes à pouliner. Il palpait les flancs de l'animal et, tout à son travail, ne regardait pas vers l'extérieur.

Mue par le désir d'en apprendre davantage, Isabelle obligea Claire à faire demi-tour. Comme elles étaient en avance au rendez-vous que leur avait donné Jacques, elles décidèrent de contourner les bâtiments en longeant le pré qui s'étendait, derrière les écuries, jusqu'à la forêt.

Isabelle ôta sa veste, étonnée de la tiédeur

de l'air. Depuis quelques jours, le soleil brillait dans un ciel sans nuages. Partout, c'était l'éclosion du printemps, une éclosion brutale comme un feu d'artifice. En peu de temps, les arbres s'étaient couverts de petites feuilles toutes neuves. La neige avait fondu. Les narcisses étoilaient les prés. Le lac avait perdu son feston de glace et, au creux des fossés, étincelait l'or des premières jonquilles.

Dans l'herbage, les deux plus jeunes sœurs de Claire étaient juchées sur des poneys. Près d'elles, Gabrielle et Hélène, en pantalon et bottes, les surveillaient. Pierrot, qui attendait son tour de monter, aperçut Claire et Isabelle. Il leur cria quelque chose qu'elles ne comprirent pas et voulut se précipiter vers elles. Vive comme l'éclair, Gabrielle le rattrapa par le fond de sa culotte, stoppant net son élan.

— Que j'aime cette saison! dit Claire en offrant son visage à la caresse du soleil. C'est peut-être parce qu'elle est si brève qu'elle me donne une telle ardeur de vivre. Dire que, demain, j'aurai quitté tout ça...

Isabelle l'interrompit en riant:

— Je n'ai que faire de tes états d'âme. Ce sont ceux de Jacques qui m'intéressent. Quel est donc le genre de femme que préfère ce séduisant garçon?

— Tiens, tiens, dit Claire d'un air malicieux.

Isabelle haussa les épaules. Une colère, vite

jugulée, fonça le bleu de ses prunelles. Depuis deux semaines qu'elle était l'hôte des Dufour, elle avait réussi à donner le change à tous, sauf à Hélène et à Jacques. Avec la première, les relations se détérioraient de jour en jour. Isabelle refusait les avances d'Hélène, sauf lorsque son double la contraignait à les accepter pour l'édification d'un public. Quant au second, il continuait de la traiter avec une condescendance ironique qui lui mettait les nerfs à vif. En outre, il semblait, sinon la fuir, du moins éviter sa compagnie. Et ce n'était que depuis l'arrivée de Claire qu'il témoignait à Isabelle une attention plus amicale.

— Ne te monte pas la tête, conseilla Isabelle. Jacques m'intéresse seulement comme un insecte peut intéresser un entomologiste.

— Tu veux l'examiner à la loupe ? Alors, je vais t'aider. Jacques, c'est l'homme d'un seul amour. Malheureusement, la femme qu'il a choisie n'a pour lui que de l'amitié. Conclusion...

— Le nom de cette femme ?

— Hélène.

— Tu crois vraiment ?

— Oui. Il l'a demandée autrefois en mariage et elle a refusé. Depuis, ils sont restés bons amis, mais c'est clair qu'il est toujours amoureux d'elle.

— Tu ne fais pas un peu de roman, par hasard ? demanda Isabelle qui voulait être sûre de ce qu'affirmait sa compagne.

— Non. Observe-le quand il regarde **Hélène** ou quand il lui parle et tu comprendras.

— Pourquoi a-t-elle refusé de se marier **avec** lui ? Ils me paraissent pourtant **bien assortis,** ces deux-là.

La question resta comme suspendue **dans** l'air, enveloppant Claire d'une vague **inquié**tude. Isabelle, qui avait senti le frémissement de sa camarade, l'observait avec une **avidité** presque cruelle.

— Eh bien ! réponds. Tu le sais ?

Claire avala sa salive.

— Je m'en doute, mais j'aurais préféré **ne** pas aborder ce sujet-là avec toi.

— Pourquoi donc ? Mieux vaut que **tout soit** net entre nous. Hélène est amoureuse de **papa,** tu l'as avoué toi-même tout à l'heure. Bon, ça m'est égal. Mais qu'espère-t-elle ? L'épouser ?

Claire était au supplice.

— Ecoute, Isa, parlons d'autre chose. **Ces** histoires-là ne nous regardent pas.

— Tu en as de bonnes ! riposta **durement** Isabelle. Moi, elles m'intéressent au plus **haut** point. Or, ce n'est pas à Hélène que je **vais** quémander des confidences. As-tu entendu **dire** que papa voulait divorcer pour se **remarier** avec ta tante ?

— Non, je te jure que non. Mais, même **si** cela était, je ne le saurais pas. Mes **parents** n'ont pas l'habitude de discuter de ces **ques-**

tions-là devant moi. En tout cas, je puis t'affirmer que jamais grand-père n'acceptera qu'une de ses filles épouse un divorcé.

Isabelle se souvint du ton décidé avec lequel Hélène l'avait avertie : « Les sentiments que Michel et moi éprouvons l'un pour l'autre sont indéfectibles. Il vaut mieux que vous le sachiez, Isabelle. »

L'affirmation de Claire ne la rassurant point, elle objecta avec un rire amer :

— J'imagine qu'Hélène et son bien-aimé se passeront de la bénédiction de M. Dufour.

Claire crut deviner tant de détresse dans ce qu'elle prit pour une boutade qu'elle enveloppa les épaules de son amie d'un bras affectueux.

— Oh ! Isa, j'ai vraiment beaucoup de chagrin pour toi. Avant de se séparer, les parents devraient penser à leurs enfants. Ta mère a-t-elle beaucoup souffert, elle aussi ?

— Je le suppose, dit brièvement Isabelle.

— C'est d'elle la lettre que tu as reçue hier ?

— Non, de ma grand-mère. Mamie a toujours été le porte-parole de la tribu.

— Ton aïeule habite donc chez toi ?

— Oui, ainsi que mes deux tantes.

— Une chance que tu aies tout de même été entourée, ma petite Isa. J'avais peur que tu n'aies jamais connu le réconfort d'une vie de famille.

Elles avaient dépassé le dernier angle des écuries. Jacques était dans la cour, tenant une jument par la bride. Il interpella les jeunes filles en leur faisant remarquer qu'elles avaient cinq minutes de retard. Chum, qui n'avait pas quitté les Epinettes, tournait autour de son maître. Il aperçut Isabelle et se précipita vers elle en remuant son panache. Elle se pencha et caressa l'animal, heureuse d'une diversion qui l'empêchait de répondre à Claire.

*
**

« La famille, un mot qui n'a pas le même sens pour tout le monde, songeait Isabelle, tout en s'efforçant de maîtriser la jument pleine de feu qu'on lui avait confiée. Dieu bon ! si Claire assistait à un dîner à La Jonquière, elle serait horrifiée. »

Depuis sa prime enfance, Isabelle avait toujours entendu les siens se disputer. Les seules fois où Mme Delahaye et ses filles se mettaient d'accord, c'était pour critiquer quelque malheureuse victime : une voisine, une amie ou, plus généralement Michel sur qui leur haine se cristallisait. Le timbre de l'aïeule dominait les autres. Ses sentences tombaient comme des couperets. Le cerveau de la famille, c'était cette vieille dame, trop maquillée, au museau de fouine, aux petits yeux embusqués sous de lourdes paupières. Son autorité était telle que ses descendantes discutaient rarement ses ordres.

De loin, elle continuait de diriger Isabelle et, en lisant sa dernière lettre, la jeune fille avait cru entendre sa voix hargneuse :

« ... Aurais-tu changé, Isabelle ? Tu n'es pas partie là-bas pour te lier d'amitié avec ces gens. Ils sont obligatoirement tes ennemis. Tu n'as rien de commun avec eux, souviens-t'en. L'admiration qui perce à chaque ligne de tes lettres est une trahison envers ta mère. Pense à elle et à nous. Prépare-toi à l'action. C'est ton intérêt comme le nôtre de réussir, d'empêcher le scandale. »

Claire, qui avait pris un peu d'avance sur elle, se retourna et lui sourit. A sa droite, Jacques lui demanda de rectifier la position de ses pieds sur les étriers. Elle obéit machinalement. Il l'avait plaisantée, tout à l'heure, parce qu'elle avait cru trouver un cheval tout sellé et harnaché.

— Mademoiselle désire-t-elle aussi un valet d'écurie attaché à sa personne ? Ici, chaque cavalier selle sa monture, puis la bouchonne une fois la promenade terminée.

Comme elle s'était pliée avec le sourire à

la première partie du programme, il avait
ajouté plus gentiment :

— En soignant vous-même votre cheval,
vous le connaîtrez et l'aimerez davantage, vous
verrez, Isa.

Elle coula un bref regard vers lui. La lumière
découpait son profil vigoureux et jouait avec
ses cheveux blonds. Il avait si fière allure sur
son alezan qu'elle ne put s'empêcher de penser
aux paroles de Claire. Jacques aussi avait une
certaine « densité ». Elle pouvait se heurter à
lui, même le détester, elle ne réussissait pas à
l'écarter totalement de son esprit et même
conservait pour lui de l'admiration.

Presque aussitôt, elle se reprocha ce qu'elle
considérait comme une faiblesse et s'efforça
de se cuirasser contre toute sensibilité inop-
portune.

Depuis deux semaines, elle se laissait vivre,
s'épanouissant dans la chaude atmosphère de
la famille Dufour, comme une plante dans une
serre. Elle goûtait à des joies jusqu'alors
inconnues d'elle, s'abandonnant à la sécurité,
au réconfort que dispense un foyer dont tous
les membres sont tendrement unis. Amollie,
apaisée, — depuis son arrivée aux Epinettes,
elle n'était plus la proie de son affreux cauchemar, — elle avait même poussé l'impudence
jusqu'à accorder son amitié à un membre de
cette tribu honnie par les siens. Sa grand-
mère avait raison. Elle avait trahi. A présent

qu'elle possédait toutes les coordonnées pour mener à bien la mission de haine et de vengeance dont on l'avait chargée, elle devait s'arracher à cette quiétude lénifiante. Dans quelques heures, son père serait là. Ce n'était pas le moment de flancher. Qu'avait-elle de commun avec ces gens : Claire, Jacques et tous les autres ? Rien. Absolument rien, se répétait-elle, hésitant entre le désespoir et le ressentiment. Ils appartenaient à une communauté où elle n'avait pas sa place. Aucun d'eux ne connaissait comme elle l'effrayante solitude de ceux qui sont incapables d'amour.

Attentive seulement à aiguiser sa haine, Isabelle en oubliait les conseils de prudence que Jacques lui avait prodigués en lui confiant la jument.

— Tenez-la bien en main. Rita est une bête ardente et sensible à toutes les impulsions.

A mesure qu'augmentait sa tension d'esprit, les gestes d'Isabelle devenaient plus nerveux. Alors que les trois chevaux longeaient la lisière de l'herbage, au petit trot, en direction de la forêt, celui d'Isabelle manifesta soudain des velléités d'indépendance.

— Tirez les rênes, sacrebleu, gronda Jacques, et desserrez les jambes ! Vous allez vous faire embarquer.

Elle reprit aussitôt la maîtrise des rênes, mais, au lieu de redresser le buste, une peur soudaine la fit se pencher en avant, jambes

collées au flanc de l'animal. L'incohérence de
ces mouvements dérouta la jument. Elle frémit des naseaux à la croupe, puis s'élança dans
un galop furieux.

— Tournez à gauche, hurla Jacques dans
son dos. Calmez-la dans l'herbage.

Le vent qui sifflait aux oreilles d'Isabelle
emporta la fin de la phrase.

Penchée sur l'encolure de son cheval, Isabelle cherchait désespérément à le reprendre
en main. Mais à présent, insensible à la meur-
trissure de sa bouche, ivre de liberté, il n'obéis-
sait plus.

A droite, des barrières blanches séparaient
l'herbage d'une carrière d'obstacles où les
Dufour entraînaient leurs chevaux pour les
concours hippiques. Droit devant et à l'infini,
la forêt. Sur le vert sombre des sapins se déta-
chaient les troncs argentés des bouleaux. Isabelle avait l'impression que les arbres venaient
vers elle à une vitesse terrifiante. En même
temps que l'âcre odeur de cuir et de cheval,
ses sens aiguisés percevaient déjà un parfum
de résine. Il ne fallait pas laisser Rita atteindre
la forêt. Pas à cette allure où elle risquait de
se blesser.

Impuissante à la freiner, Isabelle s'efforça
alors de modifier sa direction. Une large volte
dans l'herbage finirait par l'assagir. Rita
accepta de tourner à gauche, mais elle le fit
brusquement, dans l'intention évidente de

désarçonner sa cavalière. N'ayant pas réussi à se libérer, elle caracola quelques instants, puis, comme elle sentait toujours son fardeau, elle hennit, coucha les oreilles et reprit sa course.

Les yeux agrandis d'effroi, Isabelle aperçut Pierrot sur un poney, au milieu du pré. Un peu plus loin, les deux jeunes sœurs de Claire cheminaient à côté de Gabrielle qui ramenait le second poney vers les écuries. Chacun vaquait à ses occupations sans se préoccuper de ce qui se passait à l'autre extrémité de l'herbage. Mais Hélène avait compris le danger que Rita leur faisait courir à tous. Les bras écartés, elle s'élança au-devant de la jument folle.

La rage au cœur, fascinée par une pensée terrible, Isabelle ne tenta plus rien pour retenir sa monture. Elle pouvait maintenant discerner dans le soleil les traits d'Hélène, l'éclat intense de ses yeux qui ne reflétaient ni peur ni colère, mais une déchirante supplication.

Alors quelque chose se brisa, soudain, en elle. Dans un éclair, elle entrevit l'horreur du geste que ses démons lui inspiraient.

— Non, gémit-elle, non, oh! non.

Elle ne sut jamais comment elle réussit à imposer sa volonté à Rita, mais à l'ultime seconde, celle-ci pivota en cédant à l'action des rênes. C'étaient Jacques et Claire, immobiles, comme soudés à leur monture, qui se trouvaient maintenant sur le trajet de la jument. Pour les éviter et arrêter ce galop démentiel, Isabelle n'avait qu'une ressource : diriger l'animal droit sur l'aire d'entraînement. Mais si la jeune fille possédait une bonne assiette, en revanche, elle ignorait à peu près tout de la technique du saut. Les rares obstacles qu'elle avait franchis dans le bois de Boulogne n'avaient rien de comparable avec ceux dont la carrière était truffée.

Pourtant elle n'hésita pas. Puisque Rita acceptait la direction qui lui était imposée, Isabelle l'obligea à foncer vers la barrière blanche qui limitait le pré. D'un grand élan, celle-ci fut franchie.

Isabelle s'étonna d'être encore en selle. Puis elle triompha. « Le saut ? Ce n'est pas si difficile, après tout ! »

Rita galopait maintenant sur un sol qu'aucune herbe ne feutrait plus. Des mottes de terre jaillissaient sous ses sabots. Elle se dirigea vers une haie plus haute que la barrière, plus haute que tout ce que sa cavalière avait jamais franchi de sa vie.

Isabelle sentit la jument bondir sous elle. Puis, pendant un court moment, elle eut l'impression de planer dans les airs. L'instant suivant, un choc violent lui coupa la respiration et la ramena à plus de modestie. Allongée sur le dos, les yeux clos, elle resta immobile, attentive seulement à la douleur qui s'irradiait dans tout son corps.

Presque aussitôt, Jacques, qui avait confié son cheval à Claire, fut près d'elle.

— Isa, mon petit, quelle peur vous nous avez faite!

Il lui palpait les épaules, les jambes. Elle ouvrit les yeux, prit une profonde inspiration, se redressa.

— Rien de cassé? demanda-t-il.

— Je ne crois pas.

Puis, tout de suite soucieuse:

— Rita... Où est Rita? Est-elle tombée, elle aussi?

Il lui désigna la jument qui folâtrait le long de la clôture.

— Elle s'est littéralement envolée au-dessus des obstacles. Une fameuse sauteuse. Merci de vous inquiéter d'elle, Isa. Cette préoccupation vous honore.

— C'est naturel. Me preniez-vous pour une brute? riposta-t-elle, vexée.

Il l'aida à se relever. Quand elle fut debout près de lui, il lui mit amicalement les mains sur les épaules.

— Pour une brute, non, dit-il lentement en retenant son regard. Mais pour une petite personne insensible et peut-être méchante, oui. Or, je vous ai observée et j'ai maintenant acquis la certitude que je me trompais. Vous êtes malheureuse, Isa, obsédée par quelque terrible secret.

Elle s'écarta de lui avec un rire mal assuré.

— Si ça vous amuse de jouer les devins, persifla-t-elle, allez-y, ne vous gênez pas.

— Je me trompe ?

Elle ne répondit pas et ce fut en silence qu'ils reprirent la direction du pré.

VII

L'après-midi fut pour Hélène, et pour elle
seule, une longue attente.

M. Dufour et son fils étaient partis pour
l'usine. Marie-Jeanne et Gabrielle avaient
emmené les enfants jusqu'au plus large des
affluents du lac, afin de leur montrer le spectacle de la drave : la meute des « pitounes » (1)
descendant de la forêt en roulant et se culbu-
tant dans un bruit d'avalanche.

Claire révisait un cours. Isabelle avait été
requise par Jacques pour aider au poulinage
de Bagatelle. Hélène eût volontiers rejoint, elle
aussi, les écuries, mais la présence d'Isabelle
lui était devenu odieuse. En dépit de sa générosité, elle ne pouvait pardonner à la jeune

(1) Billes de bois.

fille la criminelle imprudence dont celle-ci s'était rendue coupable le matin. Hélène continuait à se demander jusqu'à quel point cette maudite créature n'avait pas voulu le drame qui avait failli éclater. Elle ne pouvait chasser de son esprit l'expression d'Isabelle alors que Rita n'était plus qu'à une dizaine de mètres d'elle. Il y avait eu dans les yeux clairs comme une joie horrible, démentielle. Les muscles tendus, sûre d'être broyée, Hélène avait fermé les paupières sur cette vision. Le fait que rien de ce qu'elle redoutait ne se fût produit n'apaisait pas ses doutes. Rita avait pu, d'elle-même, obliquer vers la gauche. Jusqu'alors, l'indulgence avait toujours tempéré le jugement qu'elle portait sur Isabelle. A présent, elle la considérait comme une incarnation du mal.

Pour tromper son impatience, elle résolut de terminer un chandail qu'elle avait commencé à tricoter pour Pierrot. Elle s'installa dans son boudoir, devant la fenêtre ouverte sur le lac et les montagnes. Le mouvement de ses doigts ne la contraignant pas à une attention soutenue, elle put laisser voltiger ses pensées autour de Michel.

L'avant-veille, l'ingénieur avait téléphoné de Chicoutimi. Il n'était pas très satisfait de la tournure des événements. Si le calme était revenu sur les chantiers, en revanche, une certaine agitation se manifestait au sein du personnel de l'usine. Persuadé que les deux mouvements avaient la même origine, Michel avait prolongé son séjour dans le Saguenay, afin de démasquer les coupables.

— ... J'ai renvoyé les éléments douteux et pense avoir réuni, d'ici à quarante-huit heures, assez de preuves pour faire arrêter, comme saboteurs, les vrais responsables.

— Soyez prudent, Michel, lui avait conseillé M. Dufour. S'il le faut, demandez la protection de la police.

— En ce moment, elle me gênerait plus qu'elle ne m'aiderait. Je l'appellerai lorsque j'aurai terminé ma propre enquête.

Il avait passé sous silence les lettres de menaces, assez inquiétantes, reçues la veille et le sommant d'arrêter là ses investigations. A quoi bon inquiéter Hélène ?

— Voulez-vous parler à votre fille, Michel ?

— Je crois qu'il vaut mieux que nos retrouvailles se fassent autrement que par téléphone. Je bavarderai avec elle après-demain.

— Comme vous voudrez. Elle est charmante, vous savez.

— Je n'en doute pas.

L'ironie du ton démentait cette affirmation.

Le même jour, Hélène avait reçu de lui une lettre à laquelle, depuis, elle ne cessait de penser.

« ... Je croyais ma vie irrémédiablement gâchée. Votre aveu, ma chérie, m'a prouvé qu'une aube radieuse pouvait succéder à la nuit la plus sombre. Mais étiez-vous sincère lorsque vous m'affirmiez que les principes, la famille, n'étaient pas, à vos yeux, des forteresses inexpugnables et que vous vous sentiez prête à les braver pour faire triompher notre amour ? Ces paroles dictées peut-être par une exaltation passagère, les pensez-vous encore, vraiment ? Etes-vous certaine de pouvoir vivre en désaccord avec la loi de votre religion ? Songez au chagrin, au remords que vous apportera obligatoirement une rupture avec les vôtres.

« Réfléchissez encore, Hélène.

« Moi, je suis prêt à renverser les obstacles qui s'opposent à notre bonheur. Ma nuit, que cette récente séparation rend plus douloureuse encore, n'a que trop duré. Mais c'est à vous seule qu'il appartient de décider.

« Votre choix, je le lirai dans vos yeux lorsque nous nous retrouverons, mardi soir... »

Elle en connaissait maintenant les termes par cœur. Ils étaient, en quelque sorte, la suite logique du tendre entretien qu'elle avait eu avec Michel, avant le départ de celui-ci. Après la première lecture, elle lui avait dédié mentalement sa réponse. Aucune hésitation. Dès qu'il la verrait, il lirait dans ses yeux qu'elle n'avait pas changé. Elle serait sa femme. Son amour représentait l'essence même de sa vie, mais c'était aussi une attente insupportable et si longue, si longue... Un moment, le désir l'avait effleurée d'appeler Michel au téléphone et de

lui annoncer immédiatement son acceptation.
Seule, la peur d'oreilles indiscrètes l'avait alors
retenue.

Ensuite, elle avait relu la lettre, en avait
pesé chaque mot. Elle était toujours consciente, par toutes les fibres de son corps,
qu'elle devait appartenir à Michel. Mais elle
savait aussi que sa décision entraînerait une
rupture totale avec les siens et qu'il lui serait
difficile de vivre en marge des lois religieuses.

Depuis quarante-huit heures, Hélène tentait
en vain de faire le point. Lorsqu'elle pensait
à Michel, la raison, les principes, étaient
emportés, comme des feuilles mortes, dans le
tourbillon de sa passion. Dès qu'elle plaçait le
problème, comme le lui conseillait Michel, au
niveau de sa conscience et de sa foi, la route
qu'elle devait suivre ne lui apparaissait plus
aussi clairement.

Elle cherchait alors d'autres causes à son
incertitude, allant même jusqu'à trouver trop
sage la lettre de Michel. S'il y parlait d'amour,
c'était en reprenant ses paroles à elle. Il n'avait
pas fait jaillir le mot de son propre cœur.
Hélène essayait de lire entre les lignes, fouil-
lait dans ses souvenirs, mais ne trouvait qu'une
tendresse sans faille qui la laissait insatis-
faite.

« Peut-être sa pondération n'est-elle qu'une
forme de délicatesse ? se disait-elle, essayant
de chasser ses doutes. Peut-être a-t-il pensé
qu'un ton passionné serait une forme de chan-

tage risquant d'influencer la résolution qu'il
me laisse libre de prendre ? « ... Je lirai votre
choix dans vos yeux... » Il a choisi, lui, et cela
en dépit de sa foi. N'est-ce pas la plus belle
preuve d'amour qu'il me donne ? »

Tout en tournant et retournant l'insoluble
problème, elle accompagnait Michel par la pensée tout au long de son voyage de retour. Il
avait dû prendre l'avion jusqu'à Québec et
ensuite sa voiture qu'il avait laissée, en partant, sur l'aérodrome de cette ville.

Elle regarda l'heure à son poignet. Il était
en retard. Très en retard, même. L'avion de
Chicoutimi avait dû atterrir à quinze heures.
Or, de l'aéroport à Saint-Aspais, Michel ne mettait jamais plus de deux heures.

Le bruit de roues crissant sur le gravier la
fit bondir à la fenêtre. Son tricot glissa sur le
tapis sans qu'elle y prît garde. Elle se pencha,
embrassant toute la pelouse du regard. Ce
n'était pas la Mustang bleue de Michel qui
venait de s'arrêter devant le porche, mais la
Chevrolet de Paul. En voyant descendre son
père et son frère, Hélène pensa que Michel
avait pu se rendre directement de l'aéroport
aux établissements Dufour, afin d'y rencontrer
ses associés .Dans ce cas, sa voiture allait
suivre de peu celle des deux hommes.

M. Dufour leva la tête. Apercevant Hélène,
il lui cria :

— Michel est-il arrivé ?

— Non, dit-elle. Vous ne l'avez donc pas vu ?

— Un peu de logique, reprit Paul. Si nous avions vu Michel, nous ne te poserions pas la question.

Et comme il était d'humeur à plaisanter, il lui adressa un clin d'œil.

— Continue à le guetter... sœur Anne, dit-il avant de s'engouffrer dans la maison, derrière son père.

Hélène appuya ses mains sur le rebord de la fenêtre pour les empêcher de trembler. Quelle raison Michel avait-il eue de s'attarder ? Le temps qu'il eût pu prendre pour faire un crochet par son studio était largement dépassé. L'inquiétude grandissait en elle, submergeant les doutes et le malaise qui l'assaillaient quelques instants plus tôt. Cette fois, sa crainte avait une cause concrète qu'aucun raisonnement ne pouvait effacer. Au contraire, plus elle réfléchissait à ce retard, plus elle le trouvait alarmant.

Elle tourna la tête vers le lac qui miroitait sous les rayons obliques du soleil. Le long de la rive ouest, à l'abri des pins, l'eau se tachait déjà d'ombre. Presque à l'horizon, flottait un immense radeau, en forme de cœur, relié par sa pointe à un bateau empanaché de fumée. La drave. Après avoir bondi librement sur les rivières, « les pitounes » étaient rassemblées sur le lac paisible, entourées puis remorquées vers les lointaines usines à papier. C'était pour que cette opération pût se dérouler sans ani- croche, de bout en bout, depuis l'abattage jus-

qu'au flottage, que Michel donnait le meilleur
de lui-même à la forêt, méprisant le danger
comme le font ceux qui n'ont plus rien à
perdre.

« ... Je croyais ma vie irrémédiablement
gâchée... »

Hélène se redressa. Non, cette fois, Michel
avait dû freiner sa témérité. Il se savait aimé,
attendu... Peut-être son avion avait-il été
retardé ?

Bientôt les enfants débouchèrent d'un sentier longeant la rive, précédant de peu Marie-
Jeanne et Gabrielle. Lorsqu'ils atteignirent
l'allée bordant la pelouse, ils se mirent à courir, luttant à qui arriverait le premier à la maison. Pierrot prit rapidement la tête et le pelo-
ton passa en hurlant sa joie sous la fenêtre
d'Hélène.

Penchée au-dessus d'eux, elle n'entendit pas
la sonnerie du téléphone qui résonnait dans les
profondeurs de la maison.

— Croyez-vous vraiment que la place d'une
jeune fille de vingt ans soit dans le box d'une
jument en train de pouliner ? avait objecté
M. Dufour à Jacques, lorsque le jeune vétérinaire était venu lui annoncer qu'il y avait de
fortes chances pour que Bagatelle fût délivrée
avant le soir. Si vous jugez insuffisante l'aide
du palefrenier, demandez celle d'Hélène. Une

infirmière vous sera plus utile qu'une gamine sans expérience. Je regrette vraiment de ne pouvoir vous assister moi-même, mais les rendez-vous qui m'attendent à l'usine sont de ceux que je ne puis remettre.

Ils étaient tous deux dans la bibliothèque. M. Dufour, qui achevait de trier les dossiers qu'il désirait emporter, avait ajouté d'un air inquiet :

— A votre avis, tout se passera-t-il bien ?

— Je l'espère .

— Le poulain se présente mal, m'avez-vous dit.

— Oui ; aussi la mise bas s'annonce-t-elle longue et périlleuse. C'est pour cette raison que j'ai besoin de deux aides et je pense qu'Isabelle fera l'affaire aussi bien qu'Hélène.

L'attention du vieillard redoubla. Sous les épais sourcils, les yeux gris luirent d'un bref éclat.

— Et sur quoi fondez-vous votre jugement ?

Jacques soutint le regard d'acier.

— Sans même qu'Isabelle en soit consciente, une certaine affinité existe entre elle et les animaux. Je l'ai vue, hier, ramasser une hirondelle qui était venue donner de la tête contre une des vitres de la maison. L'arrondi de ses mains pour tenir l'oiseau, la douceur avec laquelle elle a tenté de le ranimer ont été pour moi une révélation. Et tenez, un test infaillible : observez Chum. Vous verrez que s'il condescend avec une espèce de dignité hautaine à recevoir les caresses de chacun, il recherche celles d'Isabelle.

Un léger sourire erra sur le visage maigre du vieil homme, prouvant que celui-ci n'était qu'à demi convaincu.

— Ce matin, cette aptitude à comprendre les animaux a dû faire défaut à votre protégée, mon petit Jacques, car je me suis laissé dire que Rita lui avait pris la main et que nous avions frôlé le drame.

— C'est vrai, reconnut Jacques, pensif.

M. Dufour claqua d'un geste sec le fermoir de son porte-documents. Il contourna son bureau, s'arrêta devant Jacques et le regarda avec confiance.

— Je suis inquiet, dit-il abruptement. Vous connaissez Hélène. Toute dureté, toute méchanceté sont étrangères à sa nature. Alors comment expliquez-vous qu'elle ne puisse supporter la fille de Michel ? Tout à l'heure, je l'ai questionnée sans rien obtenir d'elle. De vous à moi, mon cher ami, que pensez-vous d'Isabelle ? Est-ce un ange ou un démon ?

— Ni l'un ni l'autre, répondit Jacques après avoir réfléchi afin de répondre le plus honnêtement possible. La bénignité n'est pas son vrai visage. La méchanceté non plus, du reste. Ce qu'elle vaut, elle l'ignore elle-même, peut-être parce qu'elle n'a jamais eu l'occasion de le découvrir.

M. Dufour hocha la tête d'un air entendu.

— Et cette occasion, vous essayez de la lui
fournir. C'est bien cela, n'est-ce pas ?

Il y avait un peu de mélancolie dans son
regard d'ardoise. Il considérait ce solide garçon
qu'il eût aimé avoir pour gendre. Un espoir
s'effondrait, dont il mesurait maintenant la
vanité.

— Oui, dit Jacques, sans baisser les yeux.

— Eh bien ! bonne chance, mon ami.

Isabelle qui avait décidé d'attendre son père
sur une chaise longue, au bord du lac,
n'accepta pas de gaieté de cœur son rôle d'aide
soignante. Mais comme Jacques lui exposa
adroitement sa requête devant les Dufour,
père et fils, prêts à partir pour l'usine, elle dis-
simula à merveille le dépit, voire le dégoût,
que cette proposition soulevait en elle. Elle
consentit avec juste ce qu'il fallait de modestie
pour que son public la trouvât irréprochable.

Mais, seule avec Jacques, elle donna libre
cours à sa mauvaise humeur.

— Est-ce l'habitude, ici, de soumettre les
invités à des corvées aussi peu ragoûtantes ?
Seller et bouchonner un cheval, je ne dis pas,
mais de là à macérer tout un après-midi dans
l'odeur d'écurie...

Il l'interrompit d'un air moqueur.

— Comme M .Dufour serait surpris s'il
vous entendait !

Elle se mordit les lèvres et s'enferma dans
un silence dédaigneux. Un peu plus tard, toujours muette, elle enfila la blouse qu'il lui

tendait et roula les manches trop longues sur
ses avant-bras. Puis elle pénétra, derrière lui,
dans le box de Bagatelle. Ils ne refermèrent
derrière eux que la demi-porte inférieure. Le
local contigu, libéré de son occupant, avait pris
une vague allure de salle d'opération : murs
blanchis à la chaux, autoclave, boîte d'instru-
ments, compresses, bouteilles d'oxygène.

— Tout est prêt pour une éventuelle césa-
rienne, expliqua brièvement le vétérinaire, car
j'ai peur, hélas, d'être obligé de sacrifier le
poulain pour sauver la mère.

« Et après ? Qu'est-ce que j'en ai à faire,
moi, de vos problèmes ? » faillit répondre la
jeune fille. Mais, à ce moment, Bagatelle, dont
les flancs noirs, satinés de sueur, se creusaient
au rythme de sa souffrance, tourna la tête vers
les arrivants et hennit doucement. Dans ses
larges yeux humides passa une sorte d'appel
désespéré, comme si du fond de sa déchirante
douleur elle n'avait plus d'espoir que dans le
secours des humains. Cinq ans auparavant,
Isabelle avait vu la même expression dans le
regard d'un cheval, accidenté lors d'un concours hippique, et qui avait dû être abattu sur
place. Ce souvenir continuait de la boulever-
ser.

Sans plus s'occuper de Jacques, elle s'approcha de l'animal, posa une main apaisante sur
son chanfrein et, de l'autre, se mit à lui lisser
doucement le plat de la joue. En même temps,
elle l'exhortait à la patience, faisant passer

dans sa voix plus d'affection qu'elle n'en avait
jamais accordé à ses semblables.

Les oreilles de la jument se redressèrent,
attentives, puis ses lèvres effleurèrent le bras
nu. Ayant scellé, par cette caresse, un pacte
d'amitié, l'animal baissa la tête et se mit à
pousser du front contre l'épaule de la jeune
fille.

— Doucement, ma belle, doucement, la
Noire. Sais-tu que tu es très séduisante avec
ton étoile blanche entre les yeux ? Mais qu'es-
pères-tu de moi ? Que puis-je faire pour toi ?

— Lui parler, dit Jacques, seulement lui parler comme vous venez de le faire, avec une
voix de soleil et d'herbe fraîche, la mettre en
confiance. C'est son premier poulinage et elle
n'accepte pas que le palefrenier l'approche.
Puisqu'elle vous tolère, empêchez-la de se coucher... Dieu bon ! Isa, si vous réussissiez à la
maintenir debout, je pourrais remettre le fœ-
tus en bonne place et tenter un accouchement
normal.

— Allez-y, dit-elle en entourant de ses deux
bras le cou de la jument.

Alors commença une longue lutte qui mit à
l'épreuve la résistance d'Isabelle presque
autant que celle de la parturiente.

Quatre heures plus tard, la première, ivre
de fatigue, serrait les dents, tandis que la
seconde, à bout de forces également, tremblait de tout son corps en exhalant des plaintes
de plus en plus faibles.

— Tenez bon, Isa, dit Jacques et tâchez de la faire boire encore. Ça lui remontera le moral.

Elle prit la seringue que lui tendait le valet et qui contenait un breuvage chaud, sucré et alcoolisé. Avec des précautions maternelles, elle l'introduisit entre les commissures des lèvres de la bête.

Le silence ne fut plus troublé que par le crissement de la paille sous les sabots du cheval. L'air suffoquait, empli d'une écœurante odeur de sang et de crésyl.

Isabelle retira la seringue.

— Regardez, Jacques. Elle reprend déjà des forces. Jacques, mon petit Jacques, est-ce que vous allez réussir ?

Maculé, décoiffé, le visage luisant de sueur, Jacques lui sourit puis affirma avec conviction :

— Nous réussirons, Isa.

Elle tressaillit de plaisir sur ce « nous », qui associait son effort à celui du jeune vétérinaire. Elle se sentait grandie et fière de l'être.

Tout en fredonnant l'air des *Bateliers de la Volga*, Jacques tirait maintenant sur les membres du poulain. Isabelle admirait la précision des gestes, la maîtrise, le calme dont, pas un seul instant, le jeune homme ne s'était départi.

Quand le miracle eut lieu, lorsque le nouveau-né glissa le long des jarrets de Bagatelle et tomba sur l'épaisse litière, elle ne put retenir des larmes d'émotion.

— Jacques ! Oh ! Jacques, c'est merveilleux. Tout mouillé, brun clair, attendrissant avec ses trop longues jambes et son crâne encore saillant, le poulain fut mis debout, puis poussé vers sa mère qui le lécha consciencieusement.

— Il vous devra une fière chandelle, celui-là, dit Jacques en souriant à la jeune fille. Personne ne vous a jamais dit que vous possédiez le don...

L'arrivée de M. Dufour l'interrompit. Le propriétaire de la jument n'avait même pas pris la peine d'ôter son pardessus. Aussitôt rentré, il avait traversé la maison au pas de charge pour atteindre les écuries, en passant par la cuisine.

— Félicitations ! lui dit Jacques en riant. La famille compte un garçon de plus.

Le visage radieux, M. Dufour se fit expliquer brièvement le déroulement des opérations. Il complimenta Isabelle pour son courage.

— Je vous verrai tout à l'heure, lorsque vous en aurez fini avec les soins, mon cher Jacques. Et ce soir, nous fêterons tous au champagne cet heureux événement.

Lorsqu'il eut disparu, Isabelle demanda à Jacques de quel don il avait voulu parler.

— De l'aptitude à soigner les animaux malades ou blessés, expliqua-t-il. C'est un don de Dieu, Isa. Il paraît que je l'ai, moi aussi, du moins ma grand-mère me l'a-t-elle toujours affirmé. Les aïeules, avec leur tendresse atten-

tive, ont souvent l'art de découvrir ces choses-
là. La vôtre ne vous a jamais rien dit à ce
sujet.

Elle fit non de la tête. Sa pensée vola vers
une aïeule acariâtre, dont l'art divinatoire ne
s'exerçait que sur les défauts d'autrui. Elle
s'efforça d'en chasser le souvenir, de le reje-
ter dans un monde qui n'avait rien de commun
avec celui où Jacques venait de l'entraîner.
Elle se sentait comme en état de grâce, avec
l'impression confuse que son être tout entier
s'ouvrait à une douceur inconnue.

Dans un même regard, elle rassembla la
jument noire, le poulain flageolant, leur méde-
cin qui, sans se soucier d'elle, continuait sa
dure besogne, et souhaita, avec une sorte de
ferveur, que ce moment n'eût jamais de fin.

La tête ébouriffée de Pierrot apparut au-dessus de la demi-porte du box.

— C'est vrai qu'un petit poulain est né ?
demanda-t-il en se démanchant le cou pour
regarder à l'intérieur.

— Oui, dit Jacques. Mais tu le verras plus
tard. En ce moment, il tète et tu le dérange-
rais. Va jouer, je t'appellerai tout à l'heure.

— Bon, dit l'enfant, docile. Mais il faut
qu'Isabelle aille tout de suite trouver grand-
père... C'est lui qui m'envoie la chercher,
ajouta-t-il, plus impérieux devant l'absence de
réaction des deux autres.

Isabelle pensa que M. Dufour voulait abréger ce qu'il considérait peut-être comme une

corvée. Elle s'apprêtait à refuser. Jacques prit
la parole.

— Allez, mon petit. On ne discute pas un
ordre de M. Dufour.

Dehors, Pierrot eut pour elle un regard
d'affectueuse solidarité.

— Ma pauvre vieille ! T'y passes aussi, toi,
devant M'sieur le Juge.

— M. le Juge ?

— Mes cousins et moi, c'est comme ça,
qu'entre nous on appelle grand-père. Chaque
fois qu'il nous fait venir dans la bibliothèque,
on n'y coupe pas. Pan ! Il nous sonne les clo-
ches. T'as dû faire une drôle de blague, non ?

.*.

Le matin de ce même jour, Michel, tout songeur, remontait lentement le chemin escarpé
qui reliait les bâtiments de l'usine, à
« l'Alouette », la maison blanche à toit d'ardoise, qu'il s'était fait construire aux environs
de Chicoutimi, sur une falaise dominant les
eaux du Saguenay. « L'Alouette » était un logis
de célibataire : un vaste vivoir, une chambre,
une cuisine et une salle de bains. Mais poussé
par un espoir encore informulé à l'époque, il
avait fait parqueter un immense grenier où,
à l'occasion, plusieurs chambres pourraient
être aménagées.

Il aimait cette maison, surtout depuis
qu'Hélène, l'hiver dernier, en avait modifié les

papiers, les tentures et le mobilier. Par ses
soins, le gîte sans âme était devenu une retraite
accueillante où il ferait bon vivre... à deux.
Ensemble, ils avaient couru les antiquaires,
heureux comme des collégiens en vacances,
lorsqu'ils découvraient la commode ancienne,
ou la bergère qui s'harmonisait avec le nouveau décor.

Il s'interrogeait : « Est-ce que déjà, l'hiver
dernier, Hélène ?... »

Oui, c'était incontestable. L'amour qu'elle
lui vouait remontait loin dans le temps. Ce
qu'il avait pris pour un affectueux attachement
était, en réalité, un sentiment plus ardent, plus
profond, qu'un réseau d'interdits retenait cap-
tif. Pour qu'elle lui livrât son secret, il avait
fallu cette minute d'intense émotion, le soir où,
rompant avec son habituelle réserve, il avait
évoqué pour elle les souvenirs qu'il voulait
oublier.

Un sourire éclaira son regard brun et rajeunit son visage. S'il avait consenti, ce soir-là, à
n'être que lui-même, il l'eût faite sienne. Depuis
des années qu'il l'aimait comme un fou, attentif à ne rien lui laisser deviner de sa passion,
l'occasion était trop belle ! Pourtant, au prix
d'un violent effort, il avait réussi à se dominer.
Leur amour, qu'ils plaçaient l'un et l'autre sur
un plan très élevé, méritait une autre consé-
cration qu'un bref instant de folie. Et puis, un
abandon total eût été pour Hélène une sorte
d'engagement sur lequel elle ne serait jamais

DE FIEL ET DE MIEL163

revenue. Il la connaissait tellement bien ! Or, il fallait que dans un face à face avec sa conscience elle décidât, elle-même, sans aucune contrainte, de la voie qu'elle choisirait. Pour cette raison encore, il s'était imposé de lui écrire en termes mesurés, longuement pesés, le résultat de ses propres cogitations.

Pendant deux jours, persuadé que la décision d'Hélène rejoindrait la sienne, il s'était nourri d'un espoir fou. Il la savait si spontanée qu'il s'était attendu à recevoir un appel téléphonique ou, à la rigueur, une lettre par retour du courrier. Son silence l'obsédait jusqu'au malaise. S'était-elle reprise ? Sachant qu'en dehors des lois établies, un couple ne peut vivre dans la morale chrétienne, avait-elle craint les foudres de son directeur de conscience ?

Il redressa sa haute taille, agacé de laisser son esprit se perdre dans des réflexions stériles. Après tout, le silence d'Hélène avait, peut-être, d'autres causes que le renoncement. Dans quelques heures, non seulement il serait fixé, mais il verrait Isabelle et saurait ce que le clan Delahaye avait tramé contre lui.

Il songea aux multiples tâches qu'il devait accomplir avant son départ. D'abord, mettre en sûreté dans son coffre le contenu du porte-documents qu'il tenait à la main. C'était le double des clichés qu'il avait envoyés, le matin même, à la police fédérale et qui établissaient, de façon certaine, l'identité des fauteurs de troubles.

Depuis deux jours, s'attendant à une vengeance de la firme étrangère qui avait, en vain, convoité une partie des concessions forestières de l'usine, il avait équipé, lui-même et en secret, la plupart des ateliers de caméras invisibles. Celles-ci se déclenchaient dès que quelqu'un en traversait le champ. Ces mouchards électroniques fonctionnaient dès la fermeture de l'usine.

Or, la veille, jour férié, un massicot et deux trieuses avaient été gravement endommagés. En outre, un début d'incendie, vite maîtrisé par le gardien, avait éclaté dans une salle où des panneaux de fibre étaient entreposés.

Michel avait développé les bandes et reconnu les criminels : des techniciens étrangers, embauchés depuis peu de temps. Leur renvoi avait été immédiat. L'ingénieur laissait à la police le soin de les punir plus durement.

Lorsqu'il séjournait dans le Saguenay, Michel avait recours aux services d'une paysanne qui s'acquittait des travaux ménagers, à l'exception des repas qu'il prenait au restaurant. Elle avait dû repartir une fois sa tâche terminée, car les volets étaient clos.

Il traversa le jardin, humant avec plaisir le parfum des giroflées, qui poussaient en abondance autour de la maison. Ici, le printemps était si tardif que les tulipes dormaient encore, enroulées dans leur cocon vert. Il en

repéra pourtant un groupe de trois, bien abri-
tées, qui défripaient leur robe pourpre dia-
prée d'or. Se souvenant que c'était Hélène qui
les avait plantées, il les cueillit pour elle.

Il monta sur la galerie où s'ouvraient le
vivoir et sa chambre. Un moment, il contempla le fleuve qui, en bas de la falaise, scintil-
lait sous le soleil. Le paysage enchantait
Hélène. N'avait-elle pas toujours rêvé de faire
de cette maison son foyer ? Pourquoi toutes
ces années de solitude, alors qu'il eût été si
simple...

Refusant la griserie des espoirs fous, il pro-
gressa sur la terrasse couverte, en direction de
la porte d'entrée située sur le pignon. Au passage, il remarqua qu'un des volets était resté
entrebâillé. « Une négligence de la femme de
ménage », pensa-t-il, en se promettant de le
refermer de l'intérieur.

Dans le hall pavé de tommettes rouges, aux
murs ornés de belles gravures anciennes, il
ôta son pardesssus, qu'il accrocha aux bois
d'un orignal abattu par lui deux hivers auparavant, et jeta un coup d'œil sur le miroir. « Le
bonheur me rajeunit », remarqua-t-il en passant une main sur son menton, que bleuissait
une barbe qu'il n'avait pas pris le temps de
raser le matin. Il regarda sa montre. Midi. Il
avait largement le temps de se préparer. Un
instant, il balança : faire d'abord sa valise ou
téléphoner à la station de taxis, afin qu'une
voiture vînt le chercher pour le conduire à

l'aéroport ? Comme il détestait faire attendre, il préféra téléphoner plus tard.

Il pénétra dans le vivoir, une vaste pièce tendue de cretonne fleurie, aux confortables meubles anciens. Le soleil, se glissant entre les lames des volets, dessinait sur le sol des raies d'or. Il posa les fleurs sur un fauteuil et, sur une table demi-lune, entre les deux fenêtres, le porte-documents. Il tira de ce dernier une boîte plate contenant les films. La persienne mal fermée battait contre le chambranle. Il entreprit de la bloquer et pesta contre la négligence de la servante qui ne prenait jamais la précaution de tourner à fond l'espagnolette.

« Il suffirait de pousser les vantaux pour entrer ici comme chez soi », maugréa-t-il.

La boîte sous le bras, il passa dans sa chambre où un coffre-fort était encastré dans l'épaisseur du mur.

Il n'avait pas fait deux pas qu'il eut brusquement la prescience d'un danger. Il se retourna d'un bloc, mais effectua son demi-tour une fraction de seconde trop tard. Un coup violent sur la nuque lui donna l'impression que la maison s'écroulait sur sa tête. Il chancela, puis s'affaissa. A demi conscient, il sentit qu'on lui arrachait la boîte de films.

« Les imbéciles ! » pensa-t-il.

Il releva les paupières, distingua une paire de jambes, bottées de caoutchouc, qui s'enfuyaient. Il se redressa et prit appui sur

DE FIEL ET DE MIEL

un fauteuil pour se mettre debout. Mais le meuble recula, heurtant le mur.

Alerté par le bruit, son agresseur revint sur ses pas et s'immobilisa au milieu du salon.

Michel aperçut le canon du revolver braqué sur lui. Avant qu'il eût pu faire un seul geste, la détonation emplit ses oreilles. Une douleur aiguë fulgura dans sa poitrine, le pliant en deux. Il eut une dernière pensée pour Hélène avant de sombrer dans le néant.

VIII

Lorsqu'il arrivait à Isabelle de se rappeler les heures passées dans l'écurie, aux côtés de Jacques, elle éprouvait une sensation confuse où l'émerveillement se mêlait étroitement au regret. En même temps que le poulain voyait le jour, elle avait eu l'impression de naître une nouvelle fois, de découvrir à la vie une saveur jamais goûtée. C'était comme si une porte se fût, pour elle seule, entrouverte sur le paradis. Instant trop bref qui l'avait laissée sur sa soif, car la porte s'était presque aussitôt refermée, la rejetant dans les ténèbres en proie de nouveau à la puissance du mal.

Peut-être eût-elle conservé un peu de la tendresse qui s'était éveillée en elle si, en arrivant dans la bibliothèque, où M. Dufour l'avait

convoquée, elle n'avait vu Hélène. Une Hélène
pétrifiée, aux yeux immenses et brillants de
larmes dans un visage que toute couleur avait
déserté. Tout de suite, Isabelle, qui avait
encore à l'esprit la réflexion de Pierrot, se crut
perdue. La jeune femme avait dû donner à
son père la version exacte de l'incident du
matin et accuser Isabelle.

Obnubilée par cette idée, elle ne comprit
pas immédiatement ce que lui disait M. Dufour
et le regarda d'un air si stupide qu'il dut lui
répéter la nouvelle une seconde fois : son père
avait été blessé, et si gravement qu'on déses-
pérait de le sauver.

— Blessé ? murmura-t-elle, l'esprit ailleurs.
Mais où ? Comment ?

Elle ne ressentait aucun chagrin, rien
d'autre, pour l'heure, que le soulagement de
n'avoir pas démérité aux yeux du vieillard.
Depuis si longtemps que son entourage s'employait à dégrader le souvenir qu'elle avait conservé de son père, l'image de Michel s'était
peu à peu effacée de sa mémoire. Aux Epinettes, bien que chacun parlât de lui avec
autant de considération que d'amitié, non seulement elle n'avait pas réussi à se faire une
idée exacte du personnage qu'il pouvait être,
mais un sentiment de frustration était venu
attiser son hostilité contre lui. Ah ! il l'avait
bien oubliée, cet homme dont elle portait le
nom. La famille, pour lui, elle s'en rendait
compte, c'étaient maintenant ces Dufour aux-

quels il était étroitement attaché par des liens
affectifs et des intérêts pécuniaires.

Pendant que M. Dufour lui expliquait que
Michel avait été attaqué chez lui et découvert
un peu plus tard par sa femme de ménage,
revenue mettre de l'ordre dans la maison, elle
dévisageait celle sur qui, depuis quinze jours,
elle concentrait son animosité. Elle n'était pas
loin de considérer comme une offense person-
nelle la douleur qui dévastait les traits
d'Hélène et qu'elle-même était incapable de ressentir.

— Votre père a été transporté à l'hôpital de
Chicoutimi, où la balle a pu être extraite. Mais
il n'a pas repris connaissance et le chirurgien
qui m'a téléphoné n'a pas caché son inquiétude...

La voix continuait de bourdonner à ses oreilles, sans atteindre en elle de région sensible.
Isabelle avait conscience que l'attitude qu'elle
affichait surprenait son interlocuteur. Mais,
cette fois, elle se sentait incapable de donner
le change. Affecter une tristesse qu'elle ne
réussissait pas à éprouver lui eût semblé une
odieuse comédie. Elle entendit le vieil homme
lui ordonner d'un ton plus bref d'aller se préparer.

— ... Un de mes amis, directeur d'une compagnie aérienne, a accepté de mettre un hélicoptère et un pilote à ma disposition. L'appareil qui va se poser ici d'une minute à l'autre
peut emmener deux personnes. Naturellement,

je me rends au chevet de Michel que je considère presque comme mon fils. La seconde place vous revient de droit, Isabelle.

Les yeux secs, le visage inexpressif, la jeune fille balbutia de vagues remerciements.

Hélène, que tant d'indifférence indignait, ne put rester plus longtemps passive. Elle fit un pas en avant, s'appuya sur le bureau et, penchée vers son père, lui dit sans pouvoir maîtriser le tremblement de sa bouche :

— De droit, peut-être, si Isabelle n'était pas une fille insensible. Mais regardez-la. Pas une larme. Pas l'ombre d'une émotion. Et c'est à cette créature dépourvue de piété filiale que vous me sacrifiez, moi, l'amie de Michel...

M. Dufour s'était levé.

— Je t'en prie, Hélène, coupa-t-il, impératif. Tes paroles sont déplacées.

— Non, je ne me tairai pas, se révolta Hélène. J'aime Michel. Vous le savez et pourtant vous me refusez ma dernière chance, peut-être... de le voir... de le revoir vivant.

Sa voix se brisa sur un sanglot. M. Dufour, que la détresse de sa fille bouleversait, s'efforça de la raisonner.

— Ma petite Hélène, le chagrin te prive de discernement, dit-il en prenant dans les siennes les mains de la jeune femme. J'en appelle à ta conscience, à ton sens inné du devoir. La place d'Isabelle est auprès de son père et il est juste que ce soit elle...

D'un mouvement rapide, elle échappa à l'af-

fectueuse étreinte et interrompit son père d'un
ton qu'assourdissait le ressentiment.

— Les principes, le devoir, vous n'avez que
ces mots à la bouche. Mais vous ne comprenez
donc pas que le cœur a quelquefois aussi le
droit de faire entendre sa voix ?

Les sourcils du vieil homme se contractè-
rent, mais, au prix d'un violent effort, il par-
vint à se dominer.

— Brisons là, dit-il en redressant haut son
front d'ivoire. En ce moment, je n'ai ni le
temps ni le goût de te ramener à plus de raison. Mais pour te prouver qu'il m'arrive de
composer avec mes principes, je laisse à Isabelle le soin d'accepter ou de refuser la place
que je lui offre. Il se peut, en effet, qu'étant
donné les circonstances elle n'éprouve aucu-
nement l'envie de revoir son père et préfère
garder intact le souvenir qu'elle a de lui. Sa-
chez, mon enfant, ajouta-t-il en se tournant
vers la jeune fille, que mon affection pour
vous restera la même, quelle que soit la décision que vous prendrez.

Il y avait tant de bonté dans les yeux gris
qui cherchaient son regard qu'Isabelle eut envie de justifier son attitude, de dire à ce vieillard plus compréhensif que ne le croyait sa
fille : « Mon père, je l'ai perdu il y a douze
ans, et je l'ai pleuré, croyez-moi. Mais l'homme
qui agonise à cent cinquante kilomètres d'ici,
je ne le connais pas. Il n'est pour moi qu'une
abstraction. Voilà pourquoi mes yeux restent

secs. Et vous avez deviné juste. Je n'éprouve aucune envie de le revoir. »

Mais, au moment où elle allait parler, un léger mouvement d'Hélène détourna son attention. La jeune femme tendait les deux mains vers elle dans un geste inconscient de supplication. Isabelle se raidit. Qu'elle renonçât à accompagner M. Dufour, et Hélène prendrait sa place. La haine balaya aussitôt son désir de sincérité et transparut dans l'éclat plus dur de ses prunelles.

Hélène laissa retomber les bras le long de son corps.

Evitant le regard des deux autres, Isabelle déclara :

— Je vous accompagne, monsieur. Permettez-moi d'aller changer de vêtements.

La porte à peine refermée sur elle, M. Dufour s'adressa à sa fille.

— Je n'ignore pas l'ampleur du sacrifice qui t'est imposé, Hélène, et bien que tu m'aies, tout à l'heure, presque accusé de sécheresse de cœur, je te téléphonerai des nouvelles de Michel et j'essaierai, si toutefois son état le permet, de le faire transporter ici.

Hélène ne retenait plus ses larmes.

— Pourvu que vous n'arriviez pas trop tard !

Puis, parce qu'une grande vague d'amertume continuait de la submerger, elle le défia du fond de son désespoir.

— Si Michel en réchappe, sachez-le, je serai sa femme. Oui, sa femme. Rien ne me fera re-

venir sur ma décision, pas même la crainte que
vous me jetiez l'anathème.

L'éclat de sa voix atteignit Isabelle qui avait
marqué un temps d'arrêt dans le fumoir contigu à la bibliothèque. La jeune fille serra les
lèvres et, tandis qu'elle poursuivait son chemin, une expression impitoyable enlaidissait
son visage.

M. Dufour répondit avec calme :

— Je ne ferai rien de tel, Hélène. A toi seule
de savoir si tu peux rompre avec les lois de ta
religion. Mais il me semble qu'à ta place je
penserais plutôt à offrir à Dieu le sacrifice de
mon amour en échange de la vie de Michel.

— On ne passe pas de marché avec Dieu,
vous l'avez assez souvent dit vous-même, rétor-
qua Hélène, touchée au vif et incapable de
mesurer ses paroles.

*
**

Lorsque M. Dufour et Isabelle arrivèrent à
l'hôpital, ils apprirent que Michel, toujours
dans le coma, avait été placé sous une tente à
oxygène. Toute visite était rigoureusement in-
terdite. Seul, M. Dufour fut autorisé à rester
quelques minutes auprès du blessé. Il sortit
de la chambre, le visage défait. Isabelle, qui
l'attendait dans le couloir en se demandant ce
qu'elle était venue faire là, en éprouva de la
peine pour lui. Ce fut sans affectation aucune

qu'elle le prit amicalement par le bras et le
guida à travers le dédale des corridors jusqu'à
la sortie.

Le premier soir, ils le passèrent dans le confortable motel où M. Dufour avait l'habitude
de descendre lorsqu'il venait à Chicoutimi pour
ses affaires. Le lendemain, estimant que, si bien
tenu que fût l'établissement, la place d'une
jeune fille n'était pas dans une auberge, il
trouva tout naturel d'installer Isabelle dans la
maison de son père, sous la surveillance attentive de la femme de ménage.

Trois jours plus tard, l'état de Michel étant
stationnaire, les visites toujours interdites,
M. Dufour passait le plus clair de son temps
à l'usine dans laquelle il avait presque autant
d'intérêts que Michel. Il prenait ses repas au
restaurant et, dès le début de l'après-midi,
allait chercher Isabelle pour la conduire à
l'hôpital. S'ils ne voyaient pas Michel, du moins
en obtenaient-ils des nouvelles par les médecins ou les infirmières.

M. Dufour s'était attaché à Isabelle et il
avait l'intuition que l'affection de la jeune fille
à son égard était sincère.

« Elle n'est pas insensible, cette petite, se
disait-il, perplexe. Mais alors, pourquoi, lorsqu'elle ne se croit pas observée, cette fixité
du regard ? Quel démon la tourmente ? Quel
secret dissimule-t-elle derrière son front d'enfant ? »

Chaque jour, il téléphonait aux Epinettes. Il

avait intimé à sa fille l'ordre de ne pas bouger
de la maison.

— ... Tu n'en apprendrais pas plus que nous
sur Michel et, pas plus que nous, tu ne serais
admise près de lui. La gravité de son état pro-
vient moins de sa blessure que du coma où il
est plongé. Les médecins redoutent de graves
complications pulmonaires. Tout le monde
fait l'impossible pour le sauver. Arme toi de
patience. Dès qu'il sera transportable, je le
ramènerai aux Épinettes.

Le cœur meurtri, Hélène s'était pliée à la
volonté de son père.

A « l'Alouette », Isabelle apprenait à connaître Michel. Elle était impressionnée par le
nombre de lettres qui affluaient de toutes les
régions du Québec et qui apportaient au blessé
les témoignages d'une immense amitié.

M. Dufour lui expliqua ce qu'elle savait déjà
sans en avoir compris la portée : que Michel
avait rendu d'immenses services au Canada en
sauvant des forêts entières de résineux atta-
qués par une maladie sur laquelle, avant lui,
s'étaient vainement penchés d'autres savants.
Les lettres prouvaient que, dans ce pays, la
reconnaissance n'est pas un vain mot. Il y
avait là, non seulement les vœux des plus hautes personnalités de la province, mais aussi
ceux d'humbles citoyens, révoltés par la lâche
agression dont Michel avait été la victime.

Un autre fait acheva bientôt de détruire dans
l'esprit d'Isabelle la fausse image qu'elle s'était

faite de son père. Elle en fut si bouleversée
que, le jour de sa découverte, elle s'assit devant une table Louis XIII qui servait de bureau à l'ingénieur, saisit un bloc de correspondance et en arracha plusieurs feuillets qu'elle
remplit de son écriture aux jambages déme-
surés.

« ... Maman chérie, j'ai l'impression que papa
et toi avez été les victimes du machiavélisme
de mamie. C'est elle qui, appartenant probablement à la catégorie des belles-mères jalou-
ses de leur gendre, a réussi à te dresser contre
ton mari.

« Voilà la vérité que je viens de toucher du
doigt. Et je ne pense pas me tromper, sinon
comment expliquer que papa ne soit pas du
tout l'homme dont on me brosse le portrait
depuis douze ans ? On me répétait, ce qui m'ul-
cérait le plus, qu'il ne m'avait jamais aimée.
En outre, on me le dépeignait comme une espèce de monstre, avare et égoïste.

« Crois-tu vraiment que s'il n'avait eu pour
moi aucune espèce d'affection il aurait conservé comme des reliques les dessins que je lui
offrais chaque année pour sa fête, au temps
béni où il vivait avec nous ? Crois-tu qu'un
avare aurait dépensé une fortune, l'année de
son arrivée au Canada, pour expédier à sa
fille des cadeaux de Noël dignes d'un conte
de fées ? Crois-tu enfin qu'un être insensible
eût souffert de la sécheresse de mes lettres ?

« Comment j'ai découvert tout ça ? Oh !
d'une façon fortuite. Je venais d'écrire à mamie
et cherchais une enveloppe. J'ai ouvert un
tiroir au hasard. Il y avait là une chemise en
carton avec « Isabelle » en grosse ronde. Dedans, j'ai trouvé les dessins, un récépissé de
la douane avec la liste des jouets déclarés et
aussi une lettre qu'il avait dû rédiger dans un
coup de cafard. Puis il s'était probablement
dit : « A quoi bon ? » et ne l'avait jamais envoyée.

« Tu savais, toi, que pendant un an il m'avait
adressé une carte toutes les semaines ? Non,
sûrement. Je vois très bien mamie intercepter
toute lettre portant le timbre du Canada. Quant
aux jouets, alors là, chapeau ! On m'en a
réparti la distribution sur au moins quatre
ans avec un sens remarquable de l'économie
et, bien sûr, en m'en dissimulant la provenance.
J'ai remercié pour leur générosité, successive-
ment, tante Alice, tante Berthe, mam' et même
toi, maman chérie. Mais tu étais sûrement la
seule à ignorer ce coup fourré.

« Tu l'ignorais, n'est-ce pas ?

« Je sais bien que je n'aurai jamais la réponse à mes questions. Mais tant pis. Les
poser, ça soulage. Je ne dis rien à mamie. Ou
elle nierait tout, ou elle me démontrerait par
A plus B que c'est elle qui avait raison.

« Angèle, la femme de ménage qui me chou-
choute parce que je suis la fille de M. Delahaye,
ne cesse de me vanter les qualités de papa, ses

défauts aussi, du reste. Il n'a pas d'ordre et jette ses cendres de cigarette n'importe où. J'ai trouvé d'autant plus émouvant le soin qu'il a pris à conserver mes premiers dessins.

« Hier soir, j'ai ouvert un livre choisi au hasard dans sa bibliothèque. Il a la manie de crayonner des réflexions personnelles dans les marges. Lu entre autres : « J'ignore la haine ; cependant, ceux que je méprise. je les écarte sans éclat, mais aussi sans retour. »

« Qui sait ? Il me méprise peut-être ? Dans la lettre qu'il n'a pas envoyée, il me demandait si je n'étais pas capable de lui écrire autrement que sous ta dictée.

« Perspicace, non ?

« Si mamie lisait ces lignes, elle aurait beau jeu de m'accuser de trahison. Eh bien ! non, je ne trahirai pas. Bien que mes sentiments pour papa se soient modifiés, si je jette dans la balance sa tendresse et la tienne, aucun doute, c'est la tienne la plus lourde.

« Et que mam' se rassure. Si Dieu lui prête vie, à ce père tout neuf, je l'empêcherai... »

La voix de M. Dufour la fit sursauter.

— Il est bientôt l'heure. Etes-vous prête, mon enfant ?

Elle attrapa vivement les feuillets épars sur la table et les fourra, pêle-mêle, en les froissant, dans son sac. Puis elle se retourna.

En pardessus gris foncé, ganté, son chapeau

à la main, M. Dufour, mince et droit, se tenait
au milieu du vivoir et la regardait avec curiosité. Aussitôt, elle regretta l'incohérence de ses
gestes.

— C'est... c'est une lettre que j'écrivais à
ma mère, expliqua-t-elle, afin de dissiper d'éven-
tuels soupçons.

Il continuait de l'observer, cherchant à deviner les raisons de son trouble.

— Vous l'avez terminée ?

— Non.

— Alors, terminez-la. Nous ne sommes pas
à quelques minutes près. Elle pourra partir
ce soir. Je vais vous attendre en lisant le jour-
nal.

Il s'empara d'un épais quotidien, destiné à
Michel et que la femme de ménage avait posé
sur la table demi-lune.

— Non, protesta Isabelle en se levant. Je la
finirai plus tard.

Sentir fixé sur elle ce regard pénétrant alors
qu'elle se défoulait de ses démons était au-
dessus de ses forces.

— Comme vous voudrez, dit-il.

Il s'approcha d'elle et désigna les feuillets
qui dépassaient du sac.

— Au moins, pliez-les convenablement, lui
conseilla-t-il avec la patiente bonté dont il faisait toujours preuve à son égard.

Elle obéit, furieuse de ne pouvoir maîtriser
le tremblement de ses doigts.

.

Deux jours plus tard, un mieux sensible se
manifesta dans l'état du blessé. Non seulement
il émergea du coma, mais le cœur reprit un
rythme régulier. La respiration devint moins
rauque, la fièvre un peu moins élevée. Les ris-
ques d'œdème pulmonaire diminuant, le pro-
nostic des médecins put enfin tendre à l'optimisme.

Pour la première fois, Isabelle eut le droit
de pénétrer dans la chambre où reposait son
père. Les stores baissés plongeaient la pièce
dans une demi-pénombre. Dans un angle, l'appareil d'oxygénothérapie, prêt à servir, prouvait que tout danger n'était pas encore complètement écarté.

— Ne faites aucun bruit, ne le fatiguez pas,
avait ordonné l'infirmière. Il se peut qu'il vous
parle car, au milieu de son délire, il lui est
arrivé, ce matin, de recouvrer sa lucidité. Mais
si vous le voyez s'agiter, appelez-moi d'urgence.

M. Dufour avait accompagné Isabelle, mais,
par délicatesse, n'était resté que quelques minutes auprès de Michel.

Maintenant, bien plus émue qu'elle ne voulait le paraître, Isabelle guettait une étincelle
de vie sur ce visage que mangeait une barbe
de six jours. Les paupières de Michel étaient
closes. La sueur plaquait sur son front cireux
des mèches brunes qui bouclaient légèrement.

Isabelle aurait voulu essuyer cette sueur, ra-
fraîchir ce visage, humecter ces lèvres dessé-
chées par la fièvre. Mais la timidité la paralysait. Elle ne pouvait que regarder intensément
ces traits en essayant de les ajuster à une
image que le temps avait presque effacée en
elle.

Les mains longues et brunes tranchaient sur
le drap blanc. Un frémissement agita celle qui
était la plus proche d'Isabelle. Elle se pencha
et osa poser sa paume fraîche sur le poignet
fiévreux. A ce contact, un souvenir oublié, l'un
des meilleurs pourtant de son enfance, remonta
du fond de sa mémoire. Elle se revit, petite
fille, saisissant presque convulsivement son
père par la main et l'entraînant loin des autres,
loin de cette famille qui lui faisait quelquefois
un peu peur. Elle le conduisait n'importe où :
dans la nursery, dans le jardin ou chez le
pâtissier, là où elle serait sûre de l'avoir pour
elle seule.

— Tu ferais mieux de l'attraper par le bout
du nez, disait aigrement sa mère.

Elle concentra ses pensées sur ce souvenir
et son cœur se mit à battre plus fort. Elle
retrouvait la même impression de glorieux
pouvoir et souhaitait éprouver de nouveau les
sentiments d'admiration, de tendresse et de
sécurité qui l'étreignaient autrefois lorsqu'elle
tenait cette même main, alors forte et rassurante.

Dans son délire, Michel balbutiait des paro-

les sans suite. Il prononça à plusieurs reprises
le nom d'Hélène, puis parla de tulipes. Isabelle se souvint des trois fleurs qui s'épanouis-
saient dans un vase de cristal sur une table
du vivoir. Angèle lui avait dit, en essuyant ses
larmes avec le coin de son tablier, que c'était
« ce pauvre Monsieur » qui les avait cueillies
avec sûrement l'intention de les emporter, car
elle les avait trouvées sur un fauteuil, à côté
de la valise. « Madame Hélène en avait planté
les bulbes à l'automne dernier », avait-elle
ajouté sans aucune malice.

Isabelle abandonna la main qu'elle tenait
et se sentit de nouveau très seule.

Michel s'agitait, prononçait maintenant des
mots indistincts. Isabelle, inquiète, se demanda
si elle ne devait pas prévenir l'infirmière. Elle
se leva et contourna le lit pour atteindre le
bouton d'appel sur la table de chevet. Elle
s'arrêta, saisie. Michel relevait les paupières
et ses yeux noirs, brillants de fièvre, se fixèrent
sur elle avec une intensité presque insoute-
nable.

— Gabrielle! s'exclama-t-il. Dites-moi que je
ne rêve pas. Est-ce bien vous, Gabrielle ?

Il n'avait plus la voix pâteuse du délire mais
une diction nette. Sa méprise était excusable.
Isabelle tournait le dos à la fenêtre et, dans
ce contre-jour, Michel ne pouvait distinguer
ses traits. En outre, elle avait la même
silhouette que Gabrielle et les mêmes cheveux
bruns, coupés court.

Hélène, Gabrielle. Toujours les Dufour ! Sa grand-mère avait raison. Ils lui avaient volé son père. Son antipathie pour eux balaya ses autres sentiments.

Elle se séplaça afin que la lumière tamisée par les stores l'éclairât de profil. Elle vit l'étonnement dans le regard de Michel.

— Je suis Isabelle, votre fille. Oh ! bien sûr, ajouta-t-elle avec dépit, vous ne pouvez pas me reconnaître. Depuis le temps...

Elle s'interrompit, consciente d'avoir parlé d'un ton pointu qui lui était inhabituel. L'éclat de sa voix avait dû fatiguer le blessé, car il referma les yeux et, pendant un moment qui lui parut interminable, elle ne put rien déchiffrer sur le visage clos.

Enfin les lèvres frémirent de nouveau et une lame de regard jaillit entre les cils.

— J'ai gardé le souvenir d'une petite fille douce et aimante, dit-il, si bas qu'elle dut se pencher vers lui pour le comprendre, une petite fille qui me tutoyait et n'avait aucun secret pour moi. L'autre Isabelle, celle des lettres de bonne année, je ne veux pas la connaître, pas plus qu'elle ne tenait à me revoir.

Il se tut, épuisé. Isabelle se sentait une boule dans la gorge. Toute son enfance la cernait de nouveau, refoulant les années de misère. Elle prit la main de son père et y mit un baiser.

— Tu sais, mon vieux papa, les petites filles modèles, ç'est passé de mode. Mais peut-être que toi et moi, on finira tout de même par se retrouver.

Il sourit, poussa un long soupir et sombra aussitôt dans un sommeil paisible.

Pendant deux jours, Isabelle eut son père bien à elle. Comme le mieux persistait, elle avait obtenu l'autorisation de rester un peu plus longtemps auprès de lui. Elle s'asseyait sur l'unique siège de la chambre, les yeux rivés sur le gisant, guettant son réveil, prête à lui verser la boisson fraîche qu'il réclamerait ou à tamiser la lumière qui pourrait blesser ses yeux.

Lorsque Michel émergeait de la torpeur où le plongeaient les calmants, c'était elle qui cueillait son premier sourire, sur elle qu'il posait son regard. Il parlait peu, mais ce qu'il disait ne s'adressait qu'à elle seule. C'étaient, la plupart du temps, d'anodines questions destinées, elle le sentait, à mieux la situer. « Pourquoi as-tu si vite cessé tes études ?... Et ce don pour le dessin, tu l'as cultivé, j'espère. »

Et puis, à la fin du second jour, l'ombre détestée se dressa soudain entre eux.

— Peux-tu me dire, Isa, pourquoi Hélène ne t'a pas accompagnée ?

C'était facile de répondre : « Parce que nous ne pouvions être que deux passagers dans l'hélicoptère et que M. Dufour a estimé que la seconde place me revenait de droit. » Facile, bien sûr, mais seulement à condition d'abdiquer, d'accepter ce qu'elle continuait de tenir

pour intolérable. Certes, elle n'éprouvait plus
pour ce père retrouvé la haine qu'on lui avait
si largement inculquée, mais elle estimait maintenant qu'il était son bien exclusif. Et la mission dont on l'avait chargée, elle l'accomplirait
cette fois pour son propre compte.

Elle mentit effrontément.

— Hélène ? Oh ! tu sais, elle est très occu-
pée. Son hôte, Jacques Russel, l'accapare beaucoup. Elle ne m'a pas fait de confidences,
mais je crois qu'elle n'a jamais songé à venir
jusqu'ici.

Michel ferma les yeux.

« Petite peste ! se dit-il, derechef. Non seulement je ne crois pas le premier mot de ce
que tu racontes, mais je reconnais bien là les
coups de griffes venimeux de ta mère et de ta
grand-mère. »

Cependant, lorsqu'il se mit, malgré lui, à
réfléchir à la réponse d'Isabelle, il n'était plus
aussi certain de sa malveillance. Après tout,
Hélène ne s'était pas manifestée. Ni avant, ni
après le drame. Lorsqu'il avait demandé de
ses nouvelles à M. Dufour, celui-ci avait
répondu brièvement et changé de sujet presque aussitôt. Hélène était-elle revenue sur sa
parole ? Avait-elle renoncé à une lutte trop
douloureuse pour elle ? « C'est probable, pensait Michel, déchiré. Et ce qui doit être vrai,
c'est que Russel essaie une nouvelle fois sa
chance. »

Même si pour lui la réflexion d'Isabelle ne

contenait qu'une parcelle de vérité, cette vérité-
là l'empoisonnait jusque dans ses fibres pro-
fondes.

Isabelle eut conscience d'avoir perdu, en
quelques secondes, tout le terrain gagné en
deux jours. Le lendemain et pendant les
visites suivantes, son père se réfugia presque
tout le temps dans le sommeil. De nouveau, il
lui échappait, redevenait pour elle un étranger.
Il semblait même ne plus vouloir lutter pour
guérir et sa passivité inquiétait les médecins.

— Les progrès sont lents, trop lents. La
fièvre ne cède toujours pas. Enfin, avec des
précautions, il est transportable, expliquait,
trois jours plus tard, le chirurgien à M. Dufour.
Emmenez-le donc. Un climat familial lui sera
plus salutaire que celui de l'hôpital.

Une ambulance aérienne devait emmener
Michel, le lendemain à quatre heures de
l'après-midi.

* *
*

Le matin de ce départ, Isabelle, debout dans
le jardin de « l'Alouette », contemplait le paysage qu'elle allait devoir quitter dans quelques heures. Un infirmier voyagerait avec son
père. Elle-même prendrait un car jusqu'à Québec. M. Dufour restait à Chicoutimi jusqu'à la
fin de la semaine.

Elle suivait d'un œil mélancolique un vol
d'outardes en formation triangulaire qui, haut

dans le ciel, se dirigeait vers le nord. Lorsque l'escadrille d'oiseaux ne fut plus qu'un point à l'horizon, Isabelle abaissa son regard vers le fleuve aux eaux majestueuses qui prenaient, sous la brume matinale, des reflets de perle. De nombreux bateaux sillonnaient son cours. Dans une courbe du rivage, des barques à l'ancre se balançaient au gré des vagues. Plus loin, l'usine de Michel alignait les vastes quadrilatères de ses bâtiments modernes. Isabelle en apercevait d'abord les toits plats, dominés par deux hautes cheminées, puis les pyramides de déchets de scierie qui attendaient d'être broyés, et, s'étirant jusqu'à la ville, la cité modèle où demeuraient les familles d'ouvriers.

Elle pensa à la lettre reçue la veille de La Jonquière.

« ... Tu ne nous parles pas de l'importance de l'usine de Chicoutimi. Je me demande si tu es à la hauteur de la tâche dont nous t'avons chargée. Puisque, de toute évidence, ton père va mieux, il serait urgent que tu penses à ton intérêt. Si tu ne peux empêcher le scandale, essaie au moins d'obtenir une substantielle augmentation de la pension qu'il te verse... »

« L'intérêt, l'argent, songeait amèrement Isabelle. Elles n'ont que ces mots à la bouche. Je n'ai rien de commun avec elles. Rien. »

Le regard perdu, elle ressentait cruellement

sa solitude. Ce qui l'entourait ne faisait déjà
plus partie de son existence. Dans quelques
heures, elle aurait quitté cet abri qui eût pu
devenir un havre pour elle, si elle n'avait pas
gâché, comme à plaisir, ce qui lui était
offert...

Le bruit d'un moteur l'arracha à ses pensées. A part celles des fournisseurs et des propriétaires, peu de voitures empruntaient le
chemin desservant les résidences de ce quartier isolé et escarpé. Intriguée, elle revint vers
la maison.

A quelques pas de la grille, elle s'arrêta,
n'osant en croire ses yeux.

— Jacques !

L'instant suivant, il était auprès d'elle et elle
lui abandonnait ses mains sans s'apercevoir
que cette étreinte se prolongeait. Jacques, elle
en avait conscience, était le seul être au monde
qui pouvait lui redonner une certaine paix de
l'âme. Souvent, depuis son départ des Epinettes, elle avait évoqué avec une nostalgie poi-
gnante l'espèce de camaraderie tendre qui les
avait rapprochés pendant la naissance du poulain. Elle avait eu l'impression d'échapper à
une prison et cette sensation de délivrance
s'épanouissait de nouveau en elle. La joie
éclaira son regard bleu, qui se mit à resplendir comme un lac sous le soleil, lorsque Jacques expliqua que, pour épargner à la jeune
fille un voyage en car, il avait eu l'idée de
venir la chercher en voiture.

— Jacques ! Quelle merveilleuse surprise !

— Vrai ?

— Oh ! oui, avoua-t-elle du fond du cœur.
Voyant qu'il la dévisageait avec un étonnement amusé, elle retira ses mains et dit d'un
ton désinvolte :

— Je broyais du noir, et vous arrivez pile
à ce moment-là.

Il s'inclina, taquin, malicieux.

— Le bouffon est aux ordres de Sa Majesté.

— Ne vous moquez pas, Jacques. Comment
va Chum ? Et le poulain ? Et Bagatelle ?

— Très bien. Señora, elle, a mis au monde
une petite pouliche, avant-hier. Mon rôle étant
terminé aux Epinettes, je rentre chez moi.

La lumière autour d'elle parut perdre de son
éclat. Les Epinettes sans Jacques ? Le séjour
allait y devenir insupportable. Décidément, la
vie n'avait aucun sens.

— Redescendez sur terre, charmante enfant,
et fermez donc votre adorable bouche. Chaque
fois que vous êtes troublée ou déçue, vous
bayez aux corneilles.

— Je ne suis ni troublée ni déçue, mentit-
elle, piquée au vif. Qu'allez-vous imaginer ?

Il se rembrunit.

— Rien. J'avais seulement cru comprendre
que vous regrettiez un tout petit peu mon
départ.

Le vent le décoiffait sans qu'il y prît garde. Il
la dominait d'une tête et son regard inquisiteur plongeait dans les yeux clairs d'Isabelle,

à la recherche d'une vérité dont elle n'avait pas nettement conscience.

Elle le vit tel qu'il était : rassurant, solide. Un roc sur lequel il serait bon de s'appuyer. Et la rude écorce dissimulait des trésors de bonté et de générosité. Allait-elle perdre aussi cette ami-là ? Elle eut peur soudain et ressentit un intense besoin de sincérité.

— Je crois... oui, je crois qu'auprès de vous, en dépit de nos multiples prises de bec, j'ai compris toute la valeur du mot « amitié ».

Et plus bas :

— J'ai toujours été seule, Jacques.

Il la prit par les épaules et l'attira contre lui.

— Vous resterez seule tant que vous persisterez à ne regarder que vous-même.

Elle ne regimba pas, étonnée et effrayée de se sentir aussi émue. Il souriait, mais cette fois, sans aucune ironie. Isabelle voyait de près, de trop près, sa grande bouche qui frémissait. Elle pensa : « Il va m'embrasser. » Tout à la fois, elle redouta et désira ce baiser.

Mais il ne fit rien de tel et dit seulement avec une grande douceur :

— Vous viendrez me voir, Isa. Ma maison n'est qu'à quelques milles de Saint-Aspais.

Puis, brisant tout à coup le cercle enchanté où leur émotion les enfermait, il lança joyeusement :

— Si la route est dégagée, nous pourrons, en roulant vite, y arriver pour midi. J'ai une recette irrésistible de saucisses grillées à la moutarde. Je vous invite. D'accord ?

— D'accord, acquiesça-t-elle vivement.

Elle lui était reconnaissante de laisser leurs relations sur un plan amical. En souriant, elle ajouta avec un clin d'œil malicieux :

— Et si ça ne vous achale pas trop, attendez-moi donc icitte pendant que je boucle ma valise. J'en ai pour cinq minutes.

Il rit.

— Bravo ! Isa. Seriez-vous devenue plus « Canayenne » que Française ?

IX

Hélène avait entendu raconter que, jadis, les squaws de certaines tribus indiennes protégeaient à distance le mari ou le fils exposés aux périls de la chasse ou de la guerre. Pour le maintenir bien en vie, il suffisait de ne pas laisser l'absent glisser de leur pensée. Cette superstition lui plaisait tant qu'elle la fit sienne et s'efforça, tout le temps que dura l'hospitalisation de Michel, de ne pas écarter un seul instant l'aimé de son esprit.

Lorsqu'elle sut qu'il pouvait supporter le voyage, elle prépara sa chambre avec amour. La pièce étant située dans l'aile opposée à celle qu'elle habitait, Hélène trouva incommode d'être séparée de Michel par un étage et un long dédale de corridors. Craignant qu'il n'eût besoin de soins au milieu de la nuit, elle renonça à son propre appartement pour s'installer sur le divan d'un petit salon, proche de la chambre-bureau de Michel.

Isabelle précéda son père d'une bonne heure. Jacques la déposa aux Epinettes et, avant de la quitter, il alla avec elle jusqu'au pré accorder un regard admiratif et professionnel aux deux poulains qui gambadaient près de leurs mères.

Hélène accueillit Isabelle avec son affabilité coutumière. Elle se réjouit secrètement du changement qui s'était opéré sur les traits et dans les manières de la jeune fille. En voyant l'air de bonheur qui miroitait sur le regard bleu, comme un reflet lumineux sur le lac après le coucher du soleil, elle pensa qu'une certaine grâce avait dû toucher Isabelle. Que cette bienheureuse transformation eût pour origine l'amélioration de l'état de Michel ou la sollicitude un peu bourrue que Jacques lui témoignait, le résultat n'en était pas moins visible. Isabelle semblait devenue un ange de douceur.

En réalité, Isabelle était comme étourdie, toute bourdonnante de sensations nouvelles. Ce qui l'entourait maintenant avait pour elle moins d'importance que ce qu'elle avait laissé à une dizaine de kilomètres de là.

L'écureuil de Jacques était venu manger dans sa main. Le daim apprivoisé avait répondu à son appel et accepté sa caresse en même temps que celle du jeune vétérinaire. Pendant ce temps-là, les saucisses qui grillaient sur le barbecue avaient bien un peu trop rissolé, mais Jacques et elle les avaient trouvées délicieuses.

La maison était un chalet peint en blanc, avec un haut toit pentu en auvent au-dessus d'une galerie longeant toute la façade. Vaste, confortable, garni de meubles anciens que réchauffait l'éclat de quelques beaux cuivres, il était entretenu par une femme de journée. Un jardin l'entourait : trois érables, un cerisier et un bosquet de cormiers où chantaient les fauvettes. Partout, des fleurs. Un tapis de corolles bleues, jaunes, rouges, mauves. Derrière une haie de lilas : le chenil d'où Chum fut extrait et vint délirer d'aise sur les pieds d'Isabelle.

— Je vais croire que vous êtes devenue sa raison de vivre, avait remarqué Jacques. Depuis votre départ, il était tout cafardeux.

Le bourg, cerné par la forêt, était amical. Isabelle s'était sentie mystérieusement chez elle. Plus à l'aise qu'aux Epinettes. Bien plus surtout qu'à La Jonquière.

— Détestez-vous toujours autant la campagne ? lui avait demandé Jacques en refermant derrière eux la barrière du jardin.

Le sourire était malicieux. Mais le ton un peu trop solennel avait réveillé la vieille combativité d'Isabelle. Refusant soudain de se livrer, elle avait haussé les épaules.

— Je n'ai jamais dit qu'en été je détestais
la campagne.

Il avait insisté.

— L'hiver serait une révélation pour vous.
Rien ne vous empêche de prolonger votre
séjour jusqu'aux premières neiges.

Elle n'avait pas répondu. De nombreuses
autres journées semblables à celle-ci ? C'était
un bonheur auquel elle s'interdisait de penser.

Ils étaient revenus aux Epinettes en faisant
un crochet par un village, où le vétérinaire
avait dû prodiguer ses soins à une vache
atteinte de pneumonie. Aussi à l'aise dans une
cuisine de ferme que dans un salon, Jacques
débordait de cordialité. Sa présence créait aussitôt un climat de sympathie réconfortante. Et
dans ce chaud rayonnement, Isabelle s'était
montrée, sans aucun effort, douce et gentille.

Cet inhabituel état d'esprit se prolongea
aussi longtemps qu'elle se trouva au milieu de
tous les Dufour réunis pour l'accueillir. Elle
vivait un rêve. Aucune affectation de sa part
dans l'amabilité souriante avec laquelle elle
répondait à leurs questions.

Sous le prétexte de lui demander son avis
sur certains détails d'installation, Hélène entraîna bientôt Isabelle dans l'appartement
qu'allait occuper son père. En réalité, elle voulait être seule avec la jeune fille et profiter de
ses excellentes dispositions d'esprit pour lui
poser la question qui lui brûlait les lèvres.

— Isa, je sais que vous étiez au chevet de

Michel lorsqu'il a repris conscience. Qu'a-t-il dit ? Avait-il parlé dans son délire ?

Son expérience d'infirmière lui avait appris que les rêves incohérents, nés de la fièvre, s'identifient souvent à d'anciennes obsessions et que les divagations qui en résultent révèlent souvent des pensées refoulées jusqu'au plus profond dc l'âmc.

« M'a-t-il appelée ? » disait son regard brillant. Mais elle n'était pas assez sûre de l'amitié de sa compagne pour le lui demander carrément.

Isabelle ne répondit pas aussitôt. Elle semblait se concentrer pour donner une réponse aussi exacte que possible. En réalité, une partie d'elle-même, celle dont elle n'avait pu se débarrasser, enregistrait des détails qui l'écorchaient vive. D'abord le soin particulier qu'Hélène avait pris à se vêtir et à se maquiller. Une robe sans manches, d'un bleu vif, épousait sa silhouette flexible, mettait en valeur sa claire carnation, la pureté de ses bras. « Des bras faits pour bercer ou étreindre », pensa Isabelle.

Détournant les yeux, elle aperçut le vase d'iris bleus sur la tablette de la fenêtre, puis les livres, neufs de toute évidence, empilés sur une petite bibliothèque tourante. Une pipe, un cendrier, des cigarettes avaient été disposés sur la table de chevet. Toutes ces attentions, une étrangère les avait eues à sa place, cette même étrangère qui avait poussé l'audace jusqu'à suspendre au mur un agrandissement photographique, très réussi, ma foi, la représentant de trois quarts avec ses cheveux blonds nimbés de lumière.

« Il n'y a rien de toi dans cette pièce, lui chuchotaient ses démons. Rien que lui et elle. Et leur amour maudit. »

Une grande vague de colère balaya d'un seul coup sa délicieuse euphorie. Il ne resta plus qu'amertume dans son cœur.

— Si mon père parlait dans son délire ? Oh ! oui, bien sûr. Il disait des mots sans lien entre eux... Je me souviens. Il a parlé de tulipes.

— De tulipes ? répéta Hélène, ahurie.

— Rien d'étonnant. Sa femme de ménage a retrouvé trois de ces fleurs, à pétales rouges et or, près de sa valise. Il avait dû les cueillir juste avant d'être attaqué. C'est le souvenir de ce dernier geste que lui restituait sa mémoire.

Hélène devina la vérité et dans son regard pervenche passa une lueur de tendresse. Une banderille pour Isabelle qui donna alors libre cours à son ressentiment. Un mensonge avait commencé son œuvre de destruction. Un second la parachèverait.

— Les tulipes... pour Gabrielle, a-t-il répété plusieurs fois. Ensuite, il a ouvert les yeux.

Hélène s'était figée, circonspecte. Son visage avait perdu de sa joie. Un nuage sur le soleil.

— Qu'a-t-il dit alors ? demanda-t-elle en s'efforçant de rester calme.

DE FIEL ET DE MIEL

— Il m'a regardée. Je vous avoue que j'étais terriblement émue. Je me disais : « Va-t-il me reconnaître ? A-t-il conservé de moi une image assez nette pour m'identifier au premier coup d'œil ? » Eh bien ! non .

Un silence pendant lequel elle prit conscience qu'il n'y avait plus aucune douceur en elle. Elle s'en effraya, mais ce fut plus fort qu'elle. La tension douloureuse qui raidissait sa compagne était comme un aiguillon pour sa méchanceté. Elle continua du même ton uni :

— Il m'a prise pour votre belle-sœur. « Dites-moi que je ne rêve pas, s'est-il exclamé. Est-ce bien vous, Gabrielle ?... » Je sais bien qu'elle et moi nous avons la même taille et la même couleur de cheveux. Mais, tout de même, avouez qu'il y avait de quoi se sentir déçue.

Hélène, qui était debout près de la fenêtre ouverte, tourna vers l'extérieur un visage crispé de larmes retenues.

Thomas achevait de planter des massifs de géraniums qui rutilaient sous le soleil. Des geais, en livrée grise et bleue, sautillaient sur la pelouse fraîchement tondue, mêlant leurs cris au gazouillis des hirondelles qui cernaient le toit d'un vol rapide. L'air chaud bourdonnait d'insectes. Hélène ne voyait rien, n'entendait rien. Et, bien que le soleil enveloppât ses épaules, elle se sentait glacée.

Elle n'avait pas décelé l'intention blessante dans les propos d'Isabelle. Ceux-ci, à ses yeux, éclairaient d'un jour nouveau certains faits

qu'elle s'était toujours refusé à prendre au
sérieux : les regards appuyés, le rire trop haut,
toutes les agaceries dont Gabrielle, en habile
coquette, usait à l'égard de Michel. Hélène
s'était quelquefois demandé si entre sa belle-
sœur et Michel... A présent, pour elle, la question était résolue. Hélène croyait aussi comprendre pourquoi, dans sa lettre, Michel n'avait
pas parlé d'amour.

« Trop loyal pour engager aussi son cœur,
se disait-elle, assommée de chagrin. Trop droit
pour me dire : « Je vous aime », alors qu'une
autre femme continue d'accaparer ses rêves. »

Elle n'éprouvait ni jalousie ni rancœur. Il
eût fallu être un saint de bois pour ne pas
apprécier le charme du sourire de Gabrielle, sa
grâce de chatte, son regard d'ombre si pro-
metteur. Et Michel était un homme, pas un
saint...

Lutter pour le reconquérir ? A quoi bon !
Elle répugnait à se mesurer avec Gabrielle sur
le terrain de la séduction. Il n'était pas non
plus dans sa nature de courir après ce qui lui
échappait. Et puisque Michel refusait de venir
vers elle...

Un bref instant, elle fut effleurée par l'idée
qu'Isabelle avait pu, en déformant la vérité,
essayer d'ouvrir une brèche dans leur amour.
Mais bien vite, elle rejeta ce soupçon. Pour
trouver la lézarde, il eût fallu que la jeune
fille fût douée de double vue, puisque jamais
elle n'avait vu ensemble son père et Gabrielle.

Hélène se raidit.

« Ne pas me laisser dominer par le chagrin, songeait-elle. Il y a tant à faire, ici. Michel a besoin de mes soins. Quand il sera guéri, je partirai... »

— J'aperçois l'ambulance qui prend le dernier virage avant le chemin des Epinettes, dit-elle soudain.

Elle se retourna et poursuivit avec abnégation :

— Je suppose que vous désirez être la première à accueillir votre père, n'est-ce pas ?

Isabelle avait senti la détresse d'Hélène, mais n'en éprouvait pas la satisfaction attendue. Un malaise s'insinuait en elle comme un présage de souffrance. Elle détourna la tête, incapable de supporter ce regard douloureux qui continuait de la fixer avec bonté.

— Non. Allez au-devant de papa. Je le verrai quand il sera installé.

Et comme Hélène hésitait, elle s'approcha du lit, fit glisser le traversin sous le matelas.

— Je vais lui arranger ses oreillers comme à l'hôpital. Dépêchez-vous, ajouta-t-elle après un bref coup d'œil vers la fenêtre. L'ambulance contourne la pelouse.

Elle sortit presque aussitôt après Hélène, mais au lieu de se diriger vers le hall, elle prit le premier escalier qui montait à l'étage et courut vers l'aile droite. En se dépêchant, elle pouvait atteindre sa chambre, puis revenir dans celle de son père avant que les aides eussent eu le temps de sortir le blessé de la voiture.

⁂

Une fois installé dans son lit, le premier objet que vit Michel fut, dressée sur la table de chevet, la grande photographie dans le cadre de velours rouge. Il regarda un moment le visage de Solange dont les yeux froids et vides comme des éclats de verre semblaient le défier. Puis il ferma les paupières. Le voyage l'avait fatigué. Il remettait à plus tard les questions qui s'imposaient.

Le lendemain, lorsqu'Hélène entra dans la chambre, sa trousse d'infirmière à la main, Michel, d'un geste circulaire, engloba les fleurs, les livres, les cigarettes, puis la photographie sur la table de chevet.

— Qui a eu pour moi ces délicates attentions ? demanda-t-il. Est-ce vous, Hélène ?

Il souriait avec l'expression un peu ironique qui lui était habituelle, les yeux plissés, un sourcil plus haut que l'autre. Le visage, soigneusement rasé par Thomas, avait maigri, mais sans rien perdre de sa fermeté. Les rides encadrant la bouche étaient seulement un peu plus apparentes. Afin de dissimuler la longue cicatrice qui lui balafrait la poitrine, il avait boutonné jusqu'au cou son pyjama de soie bordeaux, marqué à son chiffre.

Hélène posait sa trousse sur une petite table recouverte d'un linge immaculé. Elle sentait sur elle le regard pénétrant de Michel et cet instant devenait pour elle d'une douceur insupportable.

Elle releva la tête. Un sourire mélancolique voltigea sur son visage.

— Oui, Michel. C'est moi. Je me suis souvenu que vous aimiez les iris. Et ces livres sont de vos auteurs préférés.

— Vous êtes un amour, Hélène. Et cette photo ? ajouta-t-il avec un mouvement de menton vers le cadre de velours, l'idée en vient-elle aussi de vous ?

Elle resta muette. Ses doigts s'activaient, fébriles, à sortir ampoules, aiguille et seringue.

— Dois-je voir dans ce geste la réponse à ma lettre ? insista-t-il d'une voix plus sourde. Avez-vous désiré me rappeler que cette femme nous sépare et qu'à cause d'elle, jamais...

Elle l'interrompit d'un ton passionné mais empreint de tristesse.

— Non, Michel. Oh ! non. J'ai cueilli les fleurs, choisi les titres des ouvrages, mais ce n'est pas moi qui ai placé là cette photographie.

Michel hocha la tête d'un air entendu.

— Je vois, dit-il. Tout à l'heure, vous m'enverrez ma délicieuse fille. Nous aurons une petite conversation, elle et moi. Et en attendant, ma petite Hélène, retirez cet objet de mon champ visuel et remettez à sa place le portrait que j'aimais tant contempler et qui a disparu.

Hélène eut un bref regard vers la place vide qui, sur le mur, se signalait par un rectangle plus foncé. En elle, la blessure saigna de nouveau.

— Etes-vous certain de le désirer vraiment ?

Michel l'observait avec attention.

— Que voulez-vous dire ?

— Je... je me demandais si vous teniez tellement à m'avoir sous les yeux toute la journée... Votre bras, Michel, pour l'intra-veineuse.

Il avait envie de l'attraper par la taille et de la courber au-dessus de lui, afin de déchiffrer la vérité sur ce visage qu'il ne retrouvait plus. Mais avec des gestes rapides, elle avait relevé la manche du pyjama et posé un garrot au-dessus du pli du coude.

D'un geste aussi vif, Michel desserra le lien qui faisait saillir la veine.

— Pas avant que vous ne m'ayez expliqué clairement le sens de vos paroles, protesta-t-il.

Ses yeux gardaient un éclat moqueur. Hélène détourna les siens.

— Il n'y a rien à expliquer.

Toute son attention semblait concentrée sur l'aiguille dont elle chassait l'air par une légère pression sur le piston de la seringue. Son cœur battait la chamade, mais ses mains ne tremblaient pas.

Une sorte de lassitude assombrit les traits de Michel. Il soupira et lui livra de nouveau son bras.

— Est-ce vous qui avez décroché l'agrandissement de sa place habituelle ?

Sans répondre, elle retira l'aiguille, couvrit l'endroit de la piqûre d'un tampon d'ouate et replia l'avant-bras. Des gestes d'une précision toute professionnelle. Mais elle se fit violence pour ne pas enserrer tendrement de ses doigts le poignet de Michel. En même temps, un bref combat se livrait en elle. Devait-elle mentir, lui laisser croire qu'en retirant de cette pièce son propre portrait, elle avait voulu lui signifier que le lien, noué entre eux, était rompu ? Cela couperait court à toute explication. Sa sincérité lui refusa cette échappatoire trop facile.

— Non, dit-elle enfin.

Puis, devant l'éclair de colère qui fulgura dans les yeux noirs, elle ajouta très vite :

— Je vous en supplie, essayez de comprendre votre fille au lieu de la blâmer.

Il eut envie de répondre :

« C'est vous que je voudrais comprendre. Que s'est-il donc passé depuis mon départ pour que toute communication soit coupée entre nous ? »

Mais il résolut de ne poser aucune question avant d'avoir parlé avec Isabelle.

*
* *

La jeune fille arriva peu après le départ
d'Hélène. En robe fleurie, ses cheveux noirs
bien coiffés, son rond visage coloré par une
course matinale dans les prés avec Rita, elle
semblait l'incarnation du printemps. Mais,
alerté par un certain froncement de sourcils,
alors que le regard d'Isabelle s'arrêtait sur la
table de chevet, Michel ne put s'abandonner
au plaisir de sa première impression. Il ne se
laissa pas davantage séduire par la gentillesse
souriante avec laquelle elle s'enquit de sa
santé.

— Je vais beaucoup mieux, dit-il brièvement.
Avant deux jours, je serai debout.

Puis, allant droit au but :

— Tu peux reprendre le portrait de ta mère,
Isabelle. Il est dans le premier tiroir de la
commode.

Le visage de la jeune fille revêtit une expression obstinée qui n'en imposa pas le moins du
monde à Michel. Il poursuivit du même ton
sans faiblesse :

— En échange, tu seras bien gentille de
remettre à la place qu'elle occupait avant ton
arrivée la grande photographie d'Hélène, reti-
rée par toi, hier.

Très rouge, raidie, les lèvres serrées, Isabelle ne bougeait pas. Sa ressemblance avec
sa mère frappa Michel qui se demanda avec

appréhension si elle avait hérité aussi de la
cruauté et de l'amoralité de Solange. Il eut
brusquement envie de la connaître mieux, de
savoir s'il n'existait pas en elle quelque chose
de pur, de vulnérable, qui rachèterait ses défauts.

Il ajouta plus doucement avec une affectueuse insistance :

— Dépêche-toi, Isa. Je suis tout disposé à
oublier ces enfantillages. Fais ce que je t'ai
dit. Ensuite, tu approcheras de moi ce fauteuil, tu t'y installeras et nous bavarderons.
Ne m'as-tu pas affirmé, il y a quelques jours,
que nous finirions par nous retrouver, tous les
deux ?

Sans un mot, elle se dirigea vers le meuble,
en retira le cadre et sortit précipitamment de
la chambre.

Un quart d'heure plus tard, elle réapparais-
sait avec, à la main, la photographie d'Hélène.
Elle la suspendit au mur et revint lentement
vers son père. Ses yeux étaient secs. Isabelle
s'abandonnait rarement aux larmes. Cependant, Michel oublia le pli dur de la bouche,
tant la détresse du regard le frappa.

« Elle est plus sensible que sa mère, se
dit-il, ne se souvenant pas d'avoir jamais vu
cette expression sur le visage de Solange. En
brisant la glace, on doit trouver l'eau vive. »

Quand elle fut assise près de lui, il demanda
avec bonté :

— Qu'espérais-tu, Isa ? Que reconquis par

certains souvenirs, je renierais mes amitiés, mon attachement à ce pays et les douze dernières années de ma vie ? Est-ce que, par hasard, tu te serais mis dans la tête d'être l'artisan d'une réconciliation entre ta mère et moi ? Est-ce dans ce dessein que tu es venue jusqu'ici ?

Cette idée n'avait jamais effleuré Isabelle. Il n'était que de voir son visage pour s'en rendre compte. Elle ne répondit rien, serrant davantage les lèvres sur son secret.

Michel continua sur le même ton affectueux :

— Tu aimes ta mère, Isa, et je ne te dirai rien sur elle. Sache seulement que notre mésentente était si totale que nous avons agi sagement en nous séparant. Je ne reviendrai jamais plus sur ce sujet, mais j'aimerais tout de même savoir ce que tu avais derrière la tête quand tu as pris l'avion à Orly.

Il laissa passer un silence et attaqua d'un ton net, en retenant son regard.

— Le bruit d'un éventuel mariage entre Hélène Beaucourt et Michel Delahaye ne serait-il pas venu jusqu'à La Jonquière, par hasard ?

Elle le fixa, comme hypnotisée, lèvres entrouvertes, tremblant de tous ses membres. Elle bégaya :

— Co... comment l'aurions-nous su ? Je... je ne comprends pas.

Ecarlate de confusion, elle enfouit soudain son visage dans ses mains. Michel lui laissa le temps de se reprendre. Ainsi il avait deviné

juste. Isabelle avait été choisie comme émis-
saire par le clan Delahaye. Que redoutaient
donc ces furies ? Qu'il demandât le divorce ?
Mais aucune foi, aucun scrupule religieux
n'avaient jamais effleuré Solange ni sa mère.
Lorsque les femmes de La Jonquière allaient
aux offices, c'était pour étaler une nouvelle
toilette ou critiquer celle des autres. A Paris,
où elles y fussent passées inaperçues elles ne
pénétraient jamais dans une église. Alors, que
craignaient-elles ? D'être dépossédées de leurs
rentes substantielles ? Elles le connaissaient
décidément fort mal. Il était au-dessus de ces
sordides questions d'intérêt. Une fois pour
toutes, il avait fait le sacrifice des revenus qui
lui venaient de l'héritage de ses parents. Sa
banque parisienne en versait la totalité à un
homme d'affaires, cousin de Mme Delahaye,
qu'il tenait pour un fieffé coquin, mais que
Solange lui avait imposé autrefois.

— Tu pourras écrire à ta mère qu'un divorce
ne changerait rien aux dispositions que j'ai
prises il y a douze ans, dit-il. Lui écrire ou lui
dire. Tout dépend du temps qu'il te reste à
passer ici.

Il la soupçonnait d'être à l'origine du changement d'attitude d'Hélène à son égard.
Qu'avait-elle dit ou fait pour qu'une barrière
se fût si soudainement élevée entre eux ? Il
connaissait la spontanéité d'Hélène. Si ses scru-
pules religieux ou la crainte de blesser son
père avaient été plus forts que son amour, elle

le lui eût avoué, la veille au soir, alors qu'ils étaient seuls dans cette chambre que l'obscurité envahissait. Elle était restée silencieuse, étonnamment lointaine. Bien que, jusqu'à ce qu'il sombrât dans le sommeil, la main de la jeune femme n'eût pas quitté la sienne, à aucun moment il n'avait retrouvé la merveilleuse entente d'autrefois. Et entre eux, maintenant, le silence était plein de reproches informulés. Il l'avait bien senti, tout à l'heure, quand elle lui prodiguait ses soins. Regrettait-elle de s'être livrée trop vite ? Il repoussa de toutes ses forces les doutes qu'avait fait lever en lui Isabelle lorsqu'elle avait insinué que Jacques accaparait Hélène.

— Je me demande ce que je vais faire de toi, dit-il en observant sa fille d'un regard rétréci. Je ne peux pas te laisser vivre seule dans mon studio de Québec. Et comme ton séjour ici ne s'est que trop prolongé, je ne vois qu'une solution : te renvoyer à La Jonquière.

Elle pâlit et Michel fut de nouveau touché par le désespoir qui ternissait les yeux clairs.

— M. Dufour, ou quelqu'un d'autre, se serait-il plaint de moi ? demanda-t-elle d'un ton humble.

— Personne ne s'est plaint, Isa. Je pense seulement qu'il ne te faut pas abuser de la générosité de nos hôtes.

— Je n'avais pas l'impression d'en abuser. Comme tout le monde ici, je participe aux travaux ménagers. Je suis toujours volontaire

pour les courses au village. Bref, j'essaie de me
rendre utile et pour moi, c'est une nouveauté,
ajouta-t-elle avec une ironie qui ne s'adressait
qu'à elle.

— Et tout cela te plaît ? demanda-t-il avec
étonnement.

La réponse jaillit du fond du cœur.

— Ici, je suis presque heureuse.

Il nota la restriction, mais ne la releva pas.
L'explication viendrait en son temps. Il avait
l'intuition d'une souffrance cachée qui sapait
ce qu'il y avait de meilleur en elle. Il pensa à
un chagrin d'amour. Avec diplomatie, il lui
posa plusieurs questions, auxquelles Isabelle
commença par répondre du bout des lèvres.
Puis, émue par la sollicitude qu'il lui témoignait, elle se livra davantage. Tout en parlant,
elle découvrait que son existence en France
n'avait jamais été qu'une suite de journées
vides. Eric, Magui, Jean-Charles, même Philippe, le plus sympathique de ses camarades,
n'étaient que de pâles images que d'autres,
plus riches en couleur, avaient à présent effa-
cées.

A travers ses confidences, Michel sentit
qu'elle était restée pure, que son mépris des
hommes l'avait protégée.

« Dieu soit loué! pensa-t-il. La vie corrom-
pue de sa mère ne l'a pas contaminée. »

Il l'interrogea sur son séjour aux Epinettes.
A sa grande surprise, il vit s'animer, puis resplendir le regard bleu. Un vaste champ de sup-

positions s'ouvrit alors devant lui. Certaines
lui semblèrent si évidentes qu'il crut avoir
trouvé le moyen de neutraliser en elle toute
velléité de nuire.

— En somme, la vie au Canada a pour toi
plus d'intérêt que celle que tu menais en
France, résuma Michel. Et tu souhaites la prolonger encore quelque temps. Je ne me trompe
pas ?

Elle retrouva l'expression câline de son enfance.

— Tu as mis en plein dans le mille, mon
petit papa.

— Ouais, dit-il d'un air méditatif. Je vais
arranger ça, mais à une condition.

Elle attendit, troublée par l'acuité du regard
brun qui l'observait. Michel la tint un moment
en haleine, puis il poursuivit lentement :

— Terminée l'offensive contre Hélène. C'est
d'accord ?

Isabelle eut une seconde de panique. Même
si elle signait tacitement la paix avec Hélène, le
mal était fait. Elle avait l'impression d'avoir
abîmé quelque chose de très beau, de très rare,
et cela par esprit de vengeance. Or, parce que
les mobiles auxquels elle avait obéi ne lui apparaissaient plus aussi clairement qu'à son arrivée, Isabelle commençait à éprouver les affres
du remords.

Michel lui tendit une dernière perche.

— Je te sais gré de ne pas t'engager à la
légère. Réfléchis, Isa. Mais je serai inflexible.

A la première escarmouche contre Hélène, tu reprends le chemin de La Jonquière. Alors, que dit ta raison puisque ton cœur ne parle pas ?

La paisible autorité de cette voix évoquait pour Isabelle celle de Jacques. Il y avait chez ces deux hommes, si différents physiquement, des quantités de points communs : générosité, franchise, oubli de soi, mais aussi une certaine force tranquille qui les faisait aller jusqu'au bout de ce qu'ils avaient décidé.

Isabelle n'avait aucune envie de retrouver le climat de La Jonquière.

— Je reste, papa.

— A mes conditions ?

— Oui.

Elle refoula le désir qui la poignait de se jeter à son cou. « Pas de baiser de Judas », se dit-elle, consciente de son indignité.

X

A moins d'aller trouver Hélène et Michel et
de leur dire : « Pardonnez-moi, j'ai déguisé la
vérité », aveu qui dépassait ses capacités d'humiliation, Isabelle, comme l'Apprenti sorcier,
ne pouvait plus arrêter les forces maléfiques
qu'elle avait déclenchées. Le doute est le pire
des poisons. Se nourrissant d'apparences, il
détruit lentement mais sûrement celui qui en
est la proie.

Or, un hasard, dont Chum fut l'involontaire
instrument, contribua à renforcer les soupçons
si habilement semés par Isabelle.

Sur le conseil des médecins, Michel se levait
maintenant pour vaquer à sa toilette, prendre
ses repas, mais la blessure au poumon ayant
entraîné une infection des bronches, il devait

garder la chambre jusqu'à la disparition totale de la fièvre.

Son appartement étant devenu le centre d'intérêt des Epinettes, il était rarement seul. Pourtant, l'inaction lui pesait. Trois jours après son arrivée, fatigué par les longues nuits d'insomnie pendant lesquelles il ne cessait de penser à Hélène et de s'interroger sur les raisons de la nouvelle attitude de la jeune femme à son égard, il décida que le meilleur moyen de retrouver l'équilibre était encore de se remettre au travail. Après le petit déjeuner, alors que chacun avait reçu d'Hélène la consigne de le laisser se reposer, il abandonna son lit, s'habilla et s'installa à son bureau.

Il avait été chargé par le Conseil national de Recherches forestières d'établir une statistique des incendies de forêts dans le Québec, d'en définir les causes et de proposer des remèdes à ce fléau. Travail de longue haleine, pratiquement terminé, et dont il voulait seulement vérifier certains détails. Des documents lui manquaient, qu'il savait pouvoir trouver dans la bibliothèque ; il se dirigea donc vers cette salle sacro-sainte, déserte à une heure aussi matinale.

Pour s'y rendre, il évita le corridor desservant le rez-de-chaussée et que des courants d'air balayaient en toute saison. Il traversa les pièces en enfilade, situées du même côté que la bibliothèque.

Il abordait le fumoir lorsqu'il vit Hélène

arriver du couloir, traverser l'autre extrémité de la pièce et s'enfermer dans la bibliothèque. Elle était passée comme une flèche, sans bruit, et si tendue vers son but qu'elle n'avait pas aperçu Michel.

Il se hâta d'aller la retrouver. La main sur la poignée de la porte, il hésita en l'entendant former un numéro sur le cadran téléphonique. Il savait qu'elle ne pénétrait là que lorsque son père l'y convoquait. « Pourquoi n'appelle-t-elle pas du hall ? » se demanda-t-il, intrigué.

— Allo ! disait Hélène. M. Russel ?... Non, madame, c'est personnel. Passez-moi le docteur, voulez-vous ?

Michel fronça les sourcils. Connaissant le poulinage des deux pur-sang, il pensa aussitôt que Señora ou Bagatelle était malade.

— Docteur Russel ? continuait la voix qui se nuança, cette fois, d'une note amicale. Bonjour, mon petit Jacques. Comment vas-tu ?... Non, non, rassure-toi, les juments sont en bonne forme, leur progéniture aussi. Ce n'est pas au vétérinaire que je téléphone...

Elle eut son rire cristallin.

Ce rire, cette voix ! Michel tourna brusquement les talons et s'enfuit vers sa chambre, poursuivi par une meute de soupçons. « Voilà pourquoi elle téléphone de cette pièce isolée. Là, pas de crainte d'être dérangée. Aucun Dufour ne s'y risque jamais que sous la contrainte. »

Le coup avait été si rude qu'après un bref

instant de stupeur il sentait la souffrance s'irradier en lui. Il aiguisa cette douleur, se blessant volontairement à des détails qu'il n'avait pas remarqués auparavant.

« Cette façon qu'elle a eue de dire « mon petit Jacques... et ce tutoiement », ruminait-il, oubliant l'amitié qui liait les deux jeunes gens depuis l'enfance.

Pendant qu'il s'abandonnait à l'amertume, Hélène continuait de converser paisiblement avec Jacques.

— ... Tu n'es pas en forme, ce matin ? Pourquoi ? Ah ! parce que Chum a disparu ? Ne te tracasse pas, mon vieux. C'est pour cette raison que je t'appelle. Ton chien est ici. Isabelle l'a trouvé couché sous les fenêtres de sa chambre. De toute évidence, il l'a adoptée pour idole et n'a pas hésité à parcourir douze milles, à pattes, pour la retrouver. A ton tour d'en faire autant.

Elle rit de nouveau à une réflexion de Jacques, puis précisa :

— Je voulais dire que si tu voulais récupérer Chum, il te fallait parcourir le même trajet... Non, personne n'est au courant. Pensant qu'il était inutile que les enfants énervent le chien, Isabelle l'a enfermé chez elle... Oui, viens quand tu veux. Tu restes à dîner ?... Dommage ! Dans ce cas, Isabelle va te conduire Chum jusqu'à la route... Que dis-tu ? Je te comprends mal.

Elle écouta, son beau visage brusquement

assombri et répondit d'une voix où perçait un certain désenchantement :

— ... Si nous avons enfin sympathisé, toutes les deux ? Oh ! tu sais, je ne me fais pas d'illusion. L'accord parfait ne peut exister. Entre elle et moi, il y a Michel... Non, non, rien de précis, ajouta-t-elle très vite. C'est difficile à expliquer. Au revoir, Jacques.

Elle courut vers la chambre d'Isabelle afin de prévenir la jeune fille que Jacques, très pris par son travail, ne pouvait venir jusqu'à la ferme, et lui demandait d'aller avec Chum au-devant de la voiture.

Puis, la commission faite, elle eut l'idée d'aller raconter l'événement à Michel. Parler d'Isabelle les rapprocherait sûrement. Elle s'en voulait d'avoir accordé une foi aveugle aux réponses de la jeune fille lorsqu'elle l'avait questionnée sur son père. En deux nuits d'insomnie, Hélène avait fini par se persuader qu'Isabelle, par pure malice, avait fort bien pu travestir la vérité. Ce qu'elle avait rapporté sur les divagations du blessé ne résistait pas à l'examen. Pourquoi Michel aurait-il pensé à Gabrielle en parlant des tulipes ? Hélène regrettait qu'un accès de jalousie injustifiée l'eût empêchée de donner à Michel la réponse qu'il avait attendue, qu'il attendait peut-être encore.

*
* *

Michel avait été tellement bouleversé qu'aussitôt revenu dans sa chambre il n'avait pu que se laisser tomber au creux d'un fauteuil. La tête dans les mains, il s'abandonnait à des pensées déprimantes lorsqu'on frappa à sa porte.

Il se redressa, mais il n'avait pas encore ouvert la bouche que Pierrot faisait irruption dans la pièce, houspillé ferme par sa tante qui le suivait de près.

— Petit démon ! grondait Gabrielle. Combien de fois faudra-t-il te répéter d'attendre l'autorisation avant d'entrer dans une chambre.

Elle s'avança à son tour sur le seuil.

— Je suis navrée, Michel, mais il court plus vite que moi. Malgré ma défense, il tenait à vous montrer sa dernière rapine. Grondez-le. Il le mérite.

Elle était en blue-jeans et polo rouge, ses mèches brunes en bataille. Une saine colère brillait dans ses yeux sombres.

Michel lui sourit amicalement. Il aimait bien Gabrielle et trouvait que la famille, et même Hélène, en prenaient trop à leur aise avec elle. Une fois pour toutes, les Dufour, du plus jeune au plus âgé, avaient dû décider que le bonheur de Gabrielle était de s'occuper des autres ; aussi abusaient-ils sans vergogne de son aptitude à garder et à distraire les enfants.

Michel savait que, ce matin-là, elle avait accepté de faire travailler les filles cadettes de Marie-Jeanne, qu'une épidémie avait renvoyées de leur pension. Il allait lui demander si ce diable de Pierrot était venu mettre la pagaille chez ses élèves, mais une odeur nauséabonde le fit d'abord se retourner vers le garçon qui se tenait, les mains derrière le dos, près de la fenêtre.

— Qu'est-ce qui empeste pareillement ?

Le petit nez de Pierrot se fronça drôlement au milieu des taches de rousseur et ses yeux verts se réduisirent à deux fentes. Il renifla avec ostentation.

— Moi, je ne sens rien.

Puis, avec un gloussement de joie, il ramena ses mains devant lui. La gauche tenait un piège. La droite, un animal mort, gros comme un chaton, au soyeux pelage d'un brun clair.

— Regarde, Michel. Un vison.

Michel prit le piège et l'examina.

— Qui t'a donné cet engin ?

— Je l'ai trouvé dans le hangar aux traîneaux.

— Et tu as su t'en servir ?

Pierrot lui adressa un clin d'œil en brandissant sa prise.

— La preuve.

Michel se demanda combien de fois le ressort avait dû se refermer sur les doigts frêles, avant que le poussoir ne s'enclenche correctement. Mais c'était là une question à ne pas

poser à un dur qui considérait sûrement
comme mineur ce genre d'accident.

— En somme, tu es très fier de toi, remarqua-t-il avec une ironie qui fut sensible au trap-
peur en herbe, et tu attends de moi des félicitations.

Déconcerté, Pierrot tenta de se justifier.

— Quand on a piégé un vison, on peut être
fier.

— Ce vison, mon bonhomme, me paraît
n'être qu'une moufette, une espèce de putois,
si tu préfères. Et tu vas me faire le plaisir de
porter cette puanteur à Thomas pour qu'il
l'enterre le plus vite possible.

— Et... et la peau ?

— Elle ne vaut rien. Depuis que le soleil
brille, tu as quitté tes vêtements chauds,
n'est-ce pas ? Eh bien ! en forêt, les animaux
ont fait comme toi et leur pelage est maintenant trop mince pour être utilisé.

Voyant les larmes dans les yeux du petit, il
ajouta affectueusement :

— L'hiver prochain, tu attraperas avec moi
de vrais visons et des rats musqués. Mais d'ici
là, ni pêche ni chasse. Promis ?

Pierrot avala ses larmes et acquiesça. Quand
on le traitait en homme, il capitulait de bonne
grâce.

— Bien. Maintenant, sauve-toi et fais ce que
je t'ai dit.

Désireux de rassurer son ami, Pierrot précisa avant de le quitter :

— T'as rien à craindre pour la pêche, vu qu'il y a presque plus d'eau dans la rivière aux loutres.

Michel haussa des sourcils stupéfaits. A une saison où le plus petit ruisseau remplit son lit d'un bord à l'autre, il était impensable que le niveau de cette rivière eût brusquement baissé.

— C'est exact, appuya Gabrielle. Depuis huit jours, l'eau diminue à vue d'œil. Tout le monde se perd en conjectures sur ce phénomène.

— Je pense que l'explication en est simple, dit Michel. Il doit exister, en amont, une colonie de castors qui a, tout bonnement, établi un barrage.

La phrase fut précieusement recueillie par Pierrot, qui traversait sans se presser la pièce contiguë.

A Thomas, il demanda :

— Qu'est-ce que ça veut dire : « en amont » ?

— Ça veut dire que vous feriez mieux d'étudier vot' géographie au lieu de me barauder sous le nez cette saleté de chat puant.

Pierrot n'insista pas. Apercevant Isabelle qui sortait de la maison avec Chum en laisse, il déposa la moufette aux pieds du domestique et courut vers la jeune fille. Avant même de s'étonner de la présence du chien, de peur d'oublier le mot, il lui posa la même question qu'à Thomas. Isabelle qui était dans de bienveillantes dispositions lui fournit toutes les explications qu'il désirait.

⁂

— Vous faites de Pierrot ce que vous voulez, remarquait pendant ce temps Gabrielle, en s'asseyant familièrement sur un bras du fauteuil qu'occupait Michel.

Il voulut se lever pour lui laisser son siège. Elle l'en empêcha d'une amicale pression sur l'épaule.

A ce moment précis, Hélène, toute frémissante d'amour, prête à donner à Michel la réponse qu'il attendait, arrivait sur le seuil de la chambre dont la porte était restée ouverte. Elle aperçut Michel de dos et Gabrielle tout près de lui. Elle se méprit sur le geste de sa belle-sœur et aussitôt la joie la déserta. Elle s'appuya contre le chambranle, certaine, cette fois, que ce qu'avait dit Isabelle était exact.

Gabrielle tourna la tête vers l'arrivante.

— Tiens, Hélène, dit-elle sans s'émouvoir ni changer d'attitude. Entre donc. Tu ne nous déranges pas, tu sais, ajouta-t-elle, un éclat malicieux dans son regard sombre. Nous parlions de Pierrot. Michel serait pour lui un père idéal. Ni trop indulgent, ni trop sévère. Juste le ton qu'il faut. A l'instant, il vient de me donner un aperçu de son autorité...

Elle raconta l'histoire du putois avec entrain, sans paraître remarquer le malaise qui paralysait son auditoire. « Bouderie d'amoureux », pensait-elle.

Michel regardait obstinément du côté de la
fenêtre. Le souvenir de la voix d'Hélène, au
téléphone, lui était intolérable. Si Pierrot
l'avait, un instant, distrait de son obsession,
depuis qu'Hélène était là, il souffrait de nouveau mille tourments. Aussi fut-il presque soulagé lorsque, ayant aperçu le facteur qui traversait la pelouse, les deux femmes le quit-
tèrent pour aller chercher le courrier.

❧

Tout en longeant l'allée bordée d'une double
rangée d'ormes qui reliait les Epinettes à la
grand-route, Isabelle essayait d'analyser l'allé-
gresse qui chantait en elle depuis le matin.
Lorsqu'elle avait découvert Chum couché sous
ses fenêtres, elle avait d'abord cru que Jacques
était dans les parages. Aussitôt, son cœur avait
bondi. Même après qu'Hélène lui eut affirmé
que, personne n'ayant vu le vétérinaire, le chien
avait dû s'échapper, un grand bonheur avait
continué de l'habiter. Chum, c'était un peu de
Jacques qui était venu jusqu'à elle. Pendant
trois jours, elle avait constamment pensé à
lui, agacée de découvrir à quel point il lui
manquait. En le quittant, elle avait cru qu'il
reviendrait le lendemain et, de sa chambre,
elle avait guetté le break des heures entières,
les yeux rivés sur la boucle de la route, qu'elle
apercevait entre les arbres de l'allée.

« Venez me voir », lui avait dit Jacques.

Elle aurait bien emprunté une bicyclette, mais
elle redoutait les questions. A présent, elle se
persuadait que Jacques avait lâché exprès son
chien. C'était comme un message qu'il lui
avait adressé. Un message d'affection. Ou qui
sait ? Peut-être était-il amoureux d'elle et avait-
il voulu le lui faire savoir par Chum ? Elle
avait cherché sous le collier la lettre qu'il
aurait pu dissimuler à son intention. Mais
Chum n'était porteur d'aucun pli secret et,
prenant pour une caresse le furetage des doigts
impatients, il s'était dressé, les pattes anté-
rieures sur les épaules de la jeune fille, et
l'avait embrassée joyeusement sur le nez.

Avant de quitter l'abri du chemin privé, elle
brossa d'un revers de main les poils que Chum
avait laissés sur sa jupe, puis rectifia l'ordon-
nance de sa coiffure. Au hasard d'une conversation, Jacques avait dit qu'il n'aimait pas le
genre garçon manqué chez les jeunes filles.
Depuis, sous l'œil narquois de Gabrielle, elle
lissait soigneusement sa chevelure brune et
ombrait légèrement ses paupières. Réservant
maintenant ses pantalons pour le sport, elle
portait, ce matin-là, un chemisier très féminin,
en linon d'un blanc immaculé, sur une jupe
écossaise, dont les plis se soulevaient à chaque
souffle de vent.

Au carrefour du chemin et de la route, elle
grimpa sur le talus et s'assit sur une souche, le
chien à ses pieds.

Lorsque le break déboucha du dernier virage, elle sentit son cœur battre plus vite, mais elle ne bougca point. Pour venir jusqu'à elle, après avoir arrêté sa voiture, Jacques devait traverser un terre-plein gazonné, large de plusieurs mètres et escalader le talus, sur lequel elle trônait avec l'expression d'une souveraine attendant les hommages de ses sujets.

« Il va courir vers moi, se disait Isabelle, grisée par la tendresse qui pétillait en elle. Il m'ouvrira ses bras et moi, je résisterai à l'envie de me jeter contre lui. Il faut que je résiste. Il faut... »

— Alors, c'est pour aujourd'hui ou pour demain ?

Il l'interpellait, le buste penché par la portière ouverte, sans avoir quitté son siège ni arrêté son moteur.

— Si vous êtes trop fatiguée pour venir jusqu'ici, lâchez ce damné chien, mais par Dieu, Isabelle, dépêchez-vous. Je n'ai pas une minute à perdre.

Ce dernier trait la frappa au point sensible. Le temps qu'il passait avec elle, il le considérait donc comme perdu ? Elle en fut mortifiée. Ravalant son humiliation, elle descendit promptement vers la route, le chien sur ses talons.

Jacques se retourna, ouvrit la portière arrière et invita Chum à monter. Au lieu d'obéir, l'animal s'assit dans l'herbe et regarda Isabelle en remuant la queue. « Tu viens aussi, j'espère », exigeaient ses bons yeux dorés.

— Etes-vous libre, ce matin ? demanda
Jacques d'un ton radouci.

L'espoir au cœur, elle acquiesça.

— Alors, je vous emmène. Installez-vous
près de moi.

Pendant qu'elle s'exécutait, le chien sauta
d'un bond sur la banquette arrière. Isabelle
se demandait à quel sentiment Jacques avait
obéi en lui faisant cette proposition : au plaisir de l'avoir pour compagne ou, plus vrai-
semblablement, avait-il voulu s'épargner l'ennui de brusquer son chien ?

Furtivement, elle l'examinait du coin de
l'œil. Impossible de rien déchiffrer sur ce
visage fermé, presque dur, qui regardait osten-
siblement devant lui. Elle savait qu'il consa-
crait ses matinées à des visites à domicile ;
aussi, pour rompre un silence qui s'éternisait,
lui proposa-t-elle de l'aider comme assistante.

Il se tourna vers elle. Un bref instant, ses
yeux retrouvèrent leur éclat amical. Il accepta
puis se replongea dans son mutisme.

Ils roulaient maintenant dans une campagne
vallonnée où alternaient champs et vergers.
Des fermes massives, au toit pentu, se blottis-
saient au milieu de bouquets d'érables. Chaque
fois que Jacques s'arrêtait, la même scène se
reproduisait. Dès que le break entrait dans la
cour, les habitants accouraient pour accueillir le vétérinaire comme le Messie. Isabelle
découvrait qu'elle se sentait parfaitement à
l'aise au milieu de ces gens simples au parler

traînant. Et c'était pour elle une telle révélation qu'elle ne put s'empêcher, la tournée finie,
d'en faire part à Jacques. Elle n'avoua pas que
la communion de gestes et de pensées, qui les
avait unis au cours de ces visites, entrait pour
une grande part dans ses impressions. « Il le
devinera », se disait-elle, vibrante d'espoir.

Or, non seulement Jacques ne devina rien,
mais il parut n'accorder que peu de crédit à
la déclaration d'Isabelle.

— Pour aimer la simplicité, dit-il en pesant
ses mots, il faut être soi-même sans détour.

Ils abordaient le dernier virage avant le chemin des Epinettes. Elle était déçue qu'il la
ramenât si vite à la ferme. Le scepticisme de
la réponse ajouta à son amertume.

— Ce qui signifie ? rétorqua-t-elle en rougis-
sant.

Il arrêta la voiture et tourna vers sa compagne un regard méditatif.

— Qui êtes-vous donc, Isa ? demanda-t-il,
dédaignant la question qui lui était posée.
Lequel est votre vrai visage parmi tous ceux
que vous arborez depuis votre arrivée chez
nous ?

Elle se troubla, lui déroba ses yeux.

— Je ne comprends pas ce que vous insi-
nuez.

— Vraiment ? ironisa-t-il. Alors, je vais vous
aider. Lorsque je vous ai vue pour la première
fois, j'ai cru découvrir quelque chose de pas

très joli. Vous haïssiez votre père, n'est-ce
pas ?

Elle joignit les mains dans un geste de supplication.

— Oh ! Jacques, taisez-vous.

Il poursuivit, impitoyable :

— Et vous avez décidé de tout mettre en
œuvre pour l'empêcher d'être heureux. Beau
programme qui est sur le point de se réaliser,
non ?

Une expression d'égarement flotta sur le
visage d'Isabelle.

— Jacques, je vous en prie. Vous ne pouvez
pas savoir...

— A quel mobile obéissez-vous ? A la jalousie ? A l'intérêt ? Et vous vous imaginez que
vous pourrez construire votre bonheur après
avoir démoli celui des autres ?

— Hélène se serait-elle plainte ? demanda-
t-elle vivement.

— Vous la connaissez mal, répliqua-t-il d'un
ton sec. Hélène ne se plaint jamais. Mais il
suffit de la regarder pour comprendre qu'elle
n'est pas heureuse.

Sentant le désarroi de sa compagne, il eut
pitié d'elle et passa son bras autour des minces
épaules, qu'il pressa affectueusement.

— Je ne puis croire que vous ayez eu, vous-
même, l'idée de cette basse vengeance. La véritable Isabelle, c'est la jeune fille sensible qui
se penche avec moi sur un animal malade. Elle
est têtue, volontaire, mais avec un cœur géné-

reux. L'autre, c'est un produit entièrement
fabriqué par un être qu'empoisonne la haine.
Votre mère ? Une aïeule ? Il est temps de choisir, Isa, même si ce choix vous semble cruel,
sinon vous allez, sous peu, vous retrouver plus
seule encore qu'à votre arrivée à Montréal.

Elle se dégagea avec un gémissement de
bête blessée. Certaines des paroles de Jacques,
qui n'avaient de sens que pour elle, venaient
de la frapper d'une douleur intolérable. Elle
ouvrit la portière, se jeta dehors et s'enfuit
vers la maison.

Il fit demi-tour, sans essayer de la rejoindre.

*\
**

Gabrielle était une femme reposante. Elle
accourait dès qu'on avait besoin d'elle, acceptait les corvées avec le sourire et s'abstenait
toujours de toute critique. Douée, en outre, de
bon sens autant que de discrétion, elle était
la confidente rêvée des grands et des petits.
Sa préférence allait à Hélène et elle la connaissait si bien qu'il lui suffisait de saisir au vol
un regard, une attitude, pour deviner les pensées de celle-ci.

Sans qu'Hélène s'en doutât, Gabrielle avait
suivi avec une curiosité inquiète la montée de
la passion qui unissait sa belle-sœur à Michel.
Ces deux-là couraient à la catastrophe. Et
pourtant, comment ne pas admirer la puissance et la dignité d'un tel amour ! Avec un

234 OF FIEL ET DE MIEL

peu de malice, elle les avait éprouvés l'un et
l'autre, essayant en vain de séduire Michel et
s'amusant à exciter la jalousie d'Hélène. Par
jeu seulement, car jamais elle n'eût voulu ter-
nir quelque chose d'aussi pur.

Après l'attentat, elle avait eu l'intuition que,
si Michel avait la vie sauve, le dénouement ne
tarderait pas. Elle attendait avec une impatience, non dépourvue de malignité, les réactions d'un entourage, dont les membres eussent préféré fermer leur vie au bonheur plutôt que d'enfreindre les lois de leur religion.
Aussi, quelles furent sa surprise et sa déception lorsqu'elle discerna une fissure dans cet
amour de cristal. Deux jours après l'histoire
du putois, Michel, qui prenait ses repas à la
table familiale, était encore plus taciturne
qu'autrefois. Il évitait le regard d'Hélène et
son visage se creusait de lassitude et d'amertume.

Dans les yeux d'Hélène s'était éteinte la
flamme qui les illuminait naguère. Et ce que
Gabrielle trouvait intolérable, c'était l'espèce
de suspicion que sa belle-sœur semblait maintenant éprouver à son égard. Gabrielle avait
besoin, pour vivre, d'un climat de totale franchise. « Qu'a donc Hélène contre moi ? se
demandait-elle. Je la sais trop intelligente pour
se monter la tête sans raison. Isabelle ne serait-
elle pas à l'origine d'une telle transformation ?
Je trouve à cette petite un air d'ange déchu
plutôt bizarre. Ce n'est pas l'amour qui lui

donne l'œil vague et la bouche triste, mais quelque repentance qui la rend malade de corps et d'esprit. »

Elle résolut d'en avoir le cœur net. Sous le prétexte d'une promenade, elle invita sa belle-sœur à l'accompagner, à pied, jusqu'à Saint-Aspais.

D'abord réticente, Hélène éprouva bientôt le besoin de se délivrer de ses doutes. La chaude compréhension de Gabrielle l'y aidant, elle mit son cœur à nu.

— ... C'est toi qu'il aime. Rien d'étonnant, du reste. Tu es plus proche de lui par l'âge. Peut-être même, au temps où vous habitiez tous deux Paris, as-tu été son premier amour ? Un homme est sensible à ces réminiscences.

Gabrielle n'en crut pas un mot et le dit à Hélène. Elle lui reprocha, en outre, d'accorder de l'importance aux divagations d'un malade.

— Lorsque j'avais la typhoïde, j'appelais, paraît-il, à cor et à cri, un certain Gilles. Or, de ma vie, je n'ai connu de Gilles. Où avais-je été chercher ce prénom ? Peut-être dans un roman ? La mémoire vous joue de ces tours ! Pourquoi n'aurais-tu pas une franche explication avec Michel ?

— J'ai l'impression de ne pouvoir l'atteindre. Il s'évade, élude, se refuse à toute discussion.

— Peut-être se fait-il, lui aussi, une fausse image de la réalité ? objecta Gabrielle avec bon sens.

Le soir même, elle alla trouver Isabelle au

moment où la jeune fille venait de se retirer
dans sa chambre. Elle n'eut pas besoin de
poser beaucoup de questions. Levant un visage
pâli, Isabelle ne fit aucune difficulté pour
avouer les mensonges dont elle avait usé dans
l'espoir de séparer Hélène de Michel. Mais lorsque Gabrielle lui demanda les raisons de son
attitude, Isabelle se replia sur elle-même. Les
yeux durs, elle ne répondit pas.

— Demain, vous irez trouvez votre père,
conseilla alors Gabrielle. Vous lui direz que
vous regrettez ce que vous avez fait. Il le faut
si vous ne voulez pas perdre sa confiance et
son affection.

Isabelle eut un sourire désabusé.

— Comme si je ne les avais pas déjà per-
dues ! Allez donc réconcilier vos amoureux et
laissez-moi terminer ma valise. Demain, je
reprends l'avion pour la France.

Gabrielle regarda autour d'elle et vit les
vêtements rassemblés sur le lit. Elle fronça les
sourcils.

— Ne soyez pas stupide. Votre départ res-
semblerait à une fuite.

— C'est bien une fuite, avoua la jeune fille
d'un ton morne. Et si, ce soir, vous n'étiez pas
venue, j'aurais écrit une lettre à mon père pour
lui avouer la vérité.

Une étincelle de moquerie scintilla dans le
regard brun.

— Et une autre à Jacques, j'espère.

Isabelle se raidit, sur la défensive.

— Certainement pas. Quelle idée !

— Tiens, dit Gabrielle, j'aurais juré qu'entre Jacques et vous s'ébauchait une idylle. Me suis-je trompée ?

Son instinct lui conseilla de ne pas insister. Le visage d'Isabelle s'était crispé comme sous l'effet d'une réelle souffrance. Elle tenta un dernier effort pour la retenir.

— Attendez au moins le retour de mon beau-père. Il vous a témoigné tant d'affection que vous seriez ingrate de partir sans le revoir.

— Quand rentre-t-il ?

— Nous l'attendions déjà aujourd'hui. Il ne tardera guère. Ecoutez, ma chérie, ajouta-t-elle dans un de ces élans de générosité qui la rendaient si attachante, je ferai en sorte que les petits mensonges dont vous vous êtes rendue coupable ne viennent pas jusqu'à ses oreilles. D'autre part, je parlerai en votre nom à Michel et à Hélène. Inutile de vous enfuir comme si vous aviez le diable à vos trousses. Vous verrez que tout s'arrange dans la vie. Bonsoir, Isabelle.

Ensuite, Gabrielle courut d'une traite chez sa belle-sœur, qui couchait toujours sur l'inconfortable divan d'un petit salon proche de la chambre de Michel. Hélène, prête à se mettre au lit, l'écouta avec une stupeur qui fit bientôt place au plus enivrant des espoirs.

— Veux-tu que j'aille maintenant trouver Michel ? demanda Gabrielle, grisée par son rôle de médiatrice.

Hélène refusa avec un doux sourire. Quand
elle fut seule, elle enfila un déshabillé de
velours blanc, disciplina de nouveau, dans un
chignon, ses longs cheveux qu'elle avait tressés
pour la nuit, puis elle traversa le couloir et
frappa à la porte de Michel.

Il lisait, en robe de chambre, assis devant
son bureau. La lumière d'une lampe éclairait
son visage aux lignes douloureuses. Le reste
de la pièce était dans la pénombre.

Hélène entra et alluma le plafonnier. Une
brutale clarté l'inonda. Son regard bleu rayonnait d'amour.

— Dans votre lettre, vous m'aviez demandé
une réponse, Michel, je vous l'apporte, dit-elle
d'une voix qui parut au convalescent la plus
suave des musiques.

**
*

Isabelle passa une nuit blanche. Ce n'était
pas la première et ces veilles répétées mettaient ses nerfs à rude épreuve.

Elle regrettait de n'être point partie le
matin, comme elle en avait eu d'abord l'intention. Que d'humiliations lui eussent été épar-
gnées si elle avait eu le courage de renoncer
plus vite à ses chimères !

Toute la journée, elle avait en vain attendu
Jacques. La veille, il était venu aux Epinettes,
entre deux visites dans les environs. Il avait

DE FIEL ET DE MIEL

bavardé amicalement avec elle, et sa seule
allusion à leur conversation du jour précédent
avait été de lui demander si elle s'entendait
mieux avec Hélène. Il avait mis dans sa question un frémissement qui avait glacé Isabelle
jusqu'au cœur.

Il lui fallait se rendre à l'évidence. Claire
avait raison. Le seul, le grand amour de Jacques, c'était Hélène, l'amie d'enfance, celle qui
possédait les qualités dont Isabelle était
dépourvue. La jeune fille pensait avec amertume que ces qualités-là, l'amour les eût facilement fait éclore en elle. Mais voilà, elle
n'intéressait Jacques que dans la mesure où
elle ne nuisait pas à Hélène.

« Autant regarder la vérité en face, se disait-
elle. Moi, qui me croyais cuirassée contre toute
espèce d'attendrissement, je suis tombée fol-
lement amoureuse. Et ce que j'éprouve n'a
rien d'une passion romanesque, rien d'un feu
de paille. Au fil des jours, j'ai laissé ce sentiment s'enraciner en moi et, maintenant, il n'y
a plus rien à faire pour l'arracher. »

Le jour de la naissance du poulain, elle
s'était sentie très proche de Jacques et avait
espéré l'impossible miracle. A présent, cette
audacieuse espérance la confondait. Qu'un
garçon de la valeur de Jacques lui accordât
son amitié, c'était tout ce à quoi elle pouvait
prétendre. Il y avait sur elle une espèce de
malédiction. La solitude était son lot. Et si
elle s'était pénétrée de cette vérité-là plus

tôt, elle aurait fui depuis longtemps les Epinettes.

Le sommeil la terrassa alors que les oiseaux
chantaient l'aurore. Le soleil baigna d'une
lueur rose la cime des sapins puis, inondant la
forêt de ses chauds rayons, il but la rosée au
creux des feuilles, pendant qu'un vent léger
dissipait les dernières brumes qui flottaient
sur le lac.

A dix heures, le bruit d'un moteur qui tournait dans la cour réveilla Isabelle. La tête
lourde, les tempes en feu, elle se leva et regarda
à travers les rideaux.

La longue voiture de Paul attendait devant
le perron. Isabelle se souvint que son père
devait aller à Québec subir un examen radio-
graphique. C'était sa première sortie. Il arriva
bientôt, en complet sombre et chemise claire et
descendit les marches d'un pas assuré. Une
lumière intérieure semblait émaner de son
visage amaigri. Hélène l'accompagnait. Elle
avait revêtu une robe blanche, sans manches,
et jeté une écharpe sur ses bras nus. Lorsqu'elle quitta l'abri du porche, une brise plus
forte fit s'envoler le mince tissu de soie. Michel
le rattrapa et eut, pour recouvrir les épaules
d'Hélène, un geste enveloppant comme une
caresse.

Alors que Michel et Hélène montaient en
voiture, M. Dufour sortit à son tour de la maison. « Il a dû arriver cette nuit », pensa Isabelle. Le vieil homme se pencha vers les voya-

geurs, puis resta immobile jusqu'à ce que
l'automobile eût disparu. Il semblait plus âgé,
plus décharné encore qu'autrefois. La fatigue
— ou le chagrin — avait creusé ses traits, cerné
ses yeux.

Une grande vague de remords bouleversa
Isabelle et renforça la décision qu'elle avait
prise de partir sans tarder. Elle ne pourrait
plus affronter le regard de son hôte. Elle allait
lui écrire, lui expliquer...

Elle finissait de s'habiller lorsqu'on frappa
à sa porte. Louise était dans le couloir, essouf-
flée comme si elle avait couru.

— Pierrot est-il avec vous, mademoiselle ?

L'enfant avait disparu. Louise le cherchait
depuis deux heures sans avoir osé avertir
Hélène avant son départ.

— Mme Marie-Jeanne me l'avait confié avant
d'aller, avec les petites, chez le coiffeur. Il
jouait bien tranquillement dans la cuisine.
J'aurais dû me méfier. Il était si sage ! Dieu
bon ! faut-il que je prévienne le pauvre Monsieur qui paraît si fatigué par son voyage ? Il
est tout seul dans la maison. Mme Gabrielle
n'est pas encore revenue du marché.

Inutile d'inquiéter le vieil homme, conseilla
Isabelle. Pierrot ne pouvait être loin. Elle descendit avec Louise et rejoignit les quatre
autres domestiques qui tenaient conseil dans
l'office. Ils avaient cherché l'enfant, en vain,
autour de la ferme.

— Il ne serait pas à l'écurie, par hasard ? demanda Isabelle.

Elle connaissait la passion du petit pour les chevaux. Une fois déjà, il avait été retrouvé, dormant entre les jambes d'une jument.

— J'ai bien regardé partout, affirma Thomas.

Isabelle examina tout de même chaque box. Elle en profita pour caresser une dernière fois les juments et leurs poulains. Pierrot restait introuvable. Isabelle s'impatientait. Par la faute de ce maudit gamin, elle allait rater le car qui l'eût emmenée de Saint-Aspais à Québec.

Elle revint par le pré, où les deux poneys pacageaient en liberté. Soudain, elle s'arrêta, saisie. Queen, la ponette des Shetland, que montait habituellement Pierrot, était toute mouillée. Isabelle s'approcha et passa la main sur la robe grise qui luisait comme de l'argent. C'était impensable que Queen se fût échauffée rien qu'à gambader dans l'herbage.

En l'examinant plus attentivement, Isabelle découvrit que les longs poils qui frangeaient les boulets ruisselaient comme si l'animal avait traversé une rivière. Or, il n'y avait ni mare ni cours d'eau dans le pré et pas la plus petite goutte de rosée dans l'herbe.

Isabelle se souvint alors de l'insistance de Pierrot à se documenter sur l'amont et l'aval des rivières. Il lui avait même parlé d'un barrage de castors. La vérité la frappa comme un trait de foudre. Elle eut la vision du drame et, dans le même temps, imagina le désespoir d'Hélène et de tous ceux des Epinettes.

Alors, quelque chose se brisa soudain au plus profond de son être, la libérant de cet égoïsme qui l'avait si longtemps repliée sur elle-même. Elle oublia même son amour déçu. Sans prévenir personne, afin de ne pas perdre de précieuses secondes, elle courut vers la forêt, atteignit la rivière aux loutres et commença d'en remonter le cours.

Un sentier assez bien tracé longeait la rive. L'enfant avait dû suivre le même chemin avec son poney avant de faire un plongeon dans la rivière. Le petit cheval s'était dégagé et avait ensuite regagné le pré, dont la barrière était restée ouverte. Isabelle avait vérifié au passage ce dernier détail.

Elle se demandait où l'accident avait pu se produire. Le niveau de l'eau était maintenant si bas qu'un enfant de la taille de Pierrot avait facilement pied. Et si Queen n'avait pas laissé, dans le sable du sentier, des empreintes de sabots, Isabelle eût pu avoir des doutes sur son hypothèse. Mais les traces étaient nettement visibles et le demeurèrent encore pendant plusieurs kilomètres. Ensuite, elles s'effacèrent dans les fougères et les hautes herbes.

Isabelle s'arrêta, indécise. Jamais, au cours de ses promenades avec Jacques ou avec Claire, elle n'était venue de ce côté. Au nord des Epinettes, passé les érables, on aurait pu avancer pendant des jours sans croiser de route ni de piste. La grande forêt recouvrait collines et vallées d'une épaisse toison que hantaient chevreuils, renards, coyotes, et même des colonies d'ours.

Un craquement fit sursauter Isabelle. Elle appela Pierrot, comme elle l'avait fait tous les cent mètres environ. En écho à son cri, une galopade qui décrut rapidement sous les taillis. Elle maîtrisa sa peur et continua d'avancer en serrant la rivière au plus près.

Elle se dépêchait, chassant les moustiques qui la harcelaient, hantée par la terreur d'arriver trop tard. L'enfant avait plus de deux heures d'avance sur elle. En outre, il avait parcouru le même chemin sur un poney rapide. Pendant combien de kilomètres devrait-elle marcher encore pour le retrouver ?

Enfin, elle vit l'endroit où le petit cheval était tombé. La trace de sa glissade : une coulée de terre fraîche, était visible. La berge, minée par l'eau, avait dû céder sous son poids. Isabelle inspecta minutieusement les environs et découvrit Pierrot. Il dormait au creux d'un buisson d'épilobes, le visage maculé de boue et de sang, les vêtements déchirés.

Elle le réveilla, mais quand elle voulut le relever, il se mit à pleurer. Sa cheville droite était foulée.

Isabelle eut un moment de désespoir. Il y avait plus de deux heures qu'elle marchait et elle se sentait exténuée.

— Tu ne peux vraiment pas te tenir debout ?

Pierrot serra les dents, claudiqua pendant quelques mètres puis avança à cloche-pied. Elle eut pitié de lui et le prit dans ses bras. Il lui parut terriblement lourd.

— J'ai vu un ours, disait le petit. Il est venu me flairer. Moi, j'ai pas bougé. Alors, il a grogné un peu, puis il est reparti en se dandinant. Si, si, je te jure que c'est vrai.

Pierrot avait peut-être rêvé la scène. Mais il se pouvait aussi qu'il l'eût réellement vécue. Isabelle, qui avait eu l'intention de le laisser et d'aller chercher du secours, y renonça. Coûte que coûte, elle devait refaire, avec son fardeau, le chemin parcouru.

Pendant de longues, d'interminables minutes, elle avança, les reins et les bras meurtris, haletant de fatigue et de chaleur.

Mais si son corps s'épuisait, son âme découvrait les joies de l'abnégation. « Portez vos regards ailleurs que sur vous-même et vous ne serez plus jamais seule », lui avait dit Jacques. C'était vrai. Elle envisageait maintenant l'avenir sous un jour nouveau. Même si son amour n'était jamais partagé, quelque chose compenserait ce dépouillement : la joie qu'elle éprouverait en apportant son réconfort aux autres.

Et, tout à coup, ce fut le miracle.

Alors qu'elle trébuchait une fois de plus sous le poids de l'enfant, un aboiement joyeux lui redonna un regain d'énergie. Elle posa Pierrot sur un lit de fougères, mit ses mains en porte-voix.

— Chum ! hurla-t-elle.

Quelques secondes plus tard, elle sanglotait d'émotion dans les bras de Jacques.

— Comment nous avez-vous retrouvés ?

— En rentrant de Saint-Aspais, Gabrielle a été mise au courant, par les domestiques, de votre disparition et de celle de Pierrot. Se souvenant de l'attachement de Chum à votre égard, elle a eu l'idée de me téléphoner. J'ai fait sentir au chien une de vos chaussures et il a pris aussitôt la piste. Mais vous-même, comment avez-vous su où découvrir Pierrot ?

Elle raconta l'histoire du poney et décrivit l'endroit où l'accident avait eu lieu.

— Et vous avez parcouru toute cette distance avec le gamin dans vos bras ?

Il la contempla avec une infinie tendresse, puis il prit entre ses mains le visage ravagé de fatigue, souillé de larmes et de poussière et l'approcha contre le sien.

— Isa chérie, si je ne craignais pas de me faire rabrouer, savez-vous ce que je vous dirais ?

— Oh ! oui, soupira-t-elle, que je suis laide et sale à faire peur.

Il rit et murmura en détachant chaque mot :

— Que vous êtes pour moi la plus belle et la plus désirable des jeunes filles. Je vous aime, Isa.

Elle le regarda, incrédule. Lorsqu'elle comprit qu'il ne mentait pas, un doux sourire illumina ses traits. Mais faisant taire le tumulte de son cœur, elle dit gravement :

— Je ne suis pas digne de votre amour, Jacques... du moins pas encore.

— Pop ! pop ! cria Pierrot qui se trouvait par trop délaissé. Quand vous aurez fini de placoter (1), tous les deux, on pourra peut-être repartir.

— Tu as raison, bonhomme, approuva joyeusement Jacques en hissant l'enfant sur ses épaules. Cet endroit-ci n'est pas tellement bien fréquenté. Je me suis laissé dire que les loups et les ours y sont à l'affût des petits garçons imprudents.

— Peuh ! claironna Pierrot, très fier. Un ours, c'est pas tellement méchant. Moi, j'en ai vu un...

**

Aux Epinettes, que l'angoisse paralysait depuis quatre heures, tout le monde fêta Isabelle comme une héroïne. Chacun voulait lui témoigner sa gratitude. En riant, Jacques s'efforçait de l'arracher à ces affectueuses embrassades.

— Je vous l'enlève. Vous ne voyez pas qu'elle meurt de faim ? Son idéal, en ce moment, c'est

(1) Bavarder.

tout simplement un plat de saucisses à la moutarde.

Isabelle gardait les yeux fixés sur M. Dufour.
Très pâle, les yeux froids, il l'avait félicitée
pour son courage, puis s'était légèrement
écarté des autres.

Elle s'avança vers lui sans lâcher la main de
Jacques.

— Je voudrais vous parler, monsieur.

Une lueur d'estime réchauffa le regard gris.
Le vieil homme conduisit les jeunes gens dans
la bibliothèque et resta debout près d'Isabelle.
Jacques, intrigué, alla fumer une cigarette près
de la fenêtre.

Elle dit d'une voix qui tremblait un peu :

— J'ai un aveu très pénible à vous faire,
monsieur. Depuis mon arrivée chez vous, je
vous ai menti.

Il posa ses mains maigres sur les épaules de
la jeune fille et la regarda avec une affectueuse
compréhension.

— Je le sais, mon enfant. Je reviens de La
Jonquière.

Les yeux d'Isabelle s'élargirent de stupeur.
Aucun mot ne put passer sa gorge serrée.

M. Dufour se mit à arpenter son bureau de
long en large.

— C'est à « l'Alouette » que j'ai commencé
à soupçonner votre terrible secret, continua-
t-il. Lorsqu'on a l'intention d'envoyer une
lettre, on ne la fourre pas comme un chiffon
dans son sac. Je me suis demandé aussi pour-

quoi mon arrivée, lorsque vous écriviez, vous
avait troublée à ce point. Comme j'avais un
marché à traiter avec une firme française, j'ai
pris l'avion pour Orly. Mes affaires réglées,
je me suis rendu dans le bourg où votre
famille passe habituellement ses week-ends.
La Jonquière étant fermée, j'ai rendu visite au
doyen. C'est ce prêtre qui m'a confié que votre
mère était morte d'un cancer, il y a plus de
trois ans .

Isabelle ne retenait plus ses larmes.

— Ma grand-mère a toujours prétendu que
c'était le chagrin qui l'avait tuée.

M. Dufour la regarda avec bonté.

— J'ai grand-peur que votre aïeule n'ait surtout voulu vous dresser contre votre père.

— Papa ne me pardonnera jamais, se
lamenta Isabelle.

— Il vous a déjà pardonnée. Ce soir, quand
il rentrera, il vous ouvrira ses bras. Séchez vos
pleurs, ma petite fille et ne regardez plus derrière vous. Si le passé vous a fait cruellement
souffrir, l'avenir est plein de promesses. Vous
aimez Jacques, n'est-ce pas ?

Elle se tourna vers son ami. Il s'était approché d'elle et son visage rayonnait d'amour.
D'un bras protecteur, il lui enveloppa tendrement les épaules.

— Je l'aime de toute mon âme, murmura
Isabelle.

— Alors, mes enfants, mariez-vous le plus
rapidement possible, leur conseilla affectueu-

sement M. Dufour... Isa, pendant que j'y pense, ce poulain que vous avez aidé à naître, que diriez-vous si je le mettais dans votre corbeille de noces ?

Pour toute réponse, elle fit ce qu'aucun des enfants Dufour n'avait jamais osé faire. Elle mit les deux bras autour du cou du vieil homme et l'embrassa sans façon sur les deux joues.

FIN

Imprimerie S.E.G., 22. rue Bergère, Paris
Dépôt légal n° 138 - 1er trimestre 1968
Imprimé en France